名《めい》探《たん》偵《てい》コナン

DETECTIVE CONAN

VOLUME 66

青山《あおやま》剛昌《ごうしょう》

★前巻《ぜんかん》までのあらすじ★

小《ちい》さな名探偵《めいたんてい》・江戸川《えどがわ》コナン、その正体《しょうたい》は高校生探偵《こうこうせいたんてい》・工藤新一《くどうしんいち》。
未知《みち》の毒薬《どくやく》をムリヤリ飲《の》ませて自分《じぶん》を子供《こども》の姿《すがた》にした黒《くろ》ずくめの男達《おとこたち》の手《て》がかりを追《お》いながら、数々《かずかず》の難事件《なんじけん》を解決中《かいけつちゅう》だ。

その男達《おとこたち》の組織《そしき》から、新《あら》たな探《さぐ》り屋《や》が放《はな》たれたという情報《じょうほう》を得《え》て、しばらく経《た》つうち、工藤家《くどうけ》を借《か》りている大学生《だいがくせい》・沖矢昴《おきやすばる》が探《さぐ》り屋《や》ではないかと、灰原《はいばら》は疑《うたが》い始《はじ》め…

そんな最中《さなか》、長野県警《ながのけんけい》の大和警部《やまとけいぶ》が、ある殺人事件《さつじんじけん》の解明《かいめい》のため、毛利探偵事務所《もうりたんていじむしょ》に協力《きょうりょく》を要請《ようせい》してきた。

早速《さっそく》、小五郎《こごろう》と共《とも》に長野《ながの》へ向《む》かったコナン。だが、事件《じけん》の謎《なぞ》は深《ふか》く…!?

名探偵コナン 66　目次

■青山剛昌■

FILE《ファイル》.1 絶《ぜつ》妙《みょう》好《こう》餌《じ》

いい加減《かげん》にしてくださいよ警部《けいぶ》さん…
いくら我々《われわれ》が疑《うたが》わしいからって…
こう何度《なんど》も呼《よ》び出《だ》されたらさー…
商売《しょうばい》あがったりだよ!
確《たし》かに周作《しゅうさく》が閉《と》じ込《こ》められて餓《が》死《し》させられた館《やかた》に、昔《むかし》我々《われわれ》も住《す》んではいたが…
ただそれだけの事《こと》…
翠川尚樹《みどりかわなおき》(38)
俳優《はいゆう》
昨夜《ゆうべ》、司郎君《シロくん》が殺《ころ》されたっていう時間《じかん》に私達《わたしたち》のアリバイがあやふやだったのは…
ただの偶然《ぐうぜん》だと思《おも》うし―…
山吹紹二《やまぶきしょうじ》(39)
ファッションデザイナー
それによォ! さっき燃《も》やされたその館《やかた》のそばに俺《おれ》らがいたのは…
誰《だれ》かにメールで呼《よ》び出《だ》されたからって言《い》っただろ?
百瀬卓人《ももせたくと》(37)
CG《シージー》クリエーター
だいいち、あの謎《なぞ》は解《と》けたのかよ?
謎《なぞ》というのは…

あの赤《あか》い壁《かべ》の事《こと》か？
え、ええ…
その謎《なぞ》はまだ解《と》けねぇが…
どうやら、2番目《ばんめ》に殺《ころ》された直木司郎《なおきしろう》が何《なに》かつかんでたらしいんだ…心当《こころあ》たりはねぇか？
さぁ…お金《かね》に困《こま》っていた事《こと》ぐらいしか…
もうすぐ旅行《りょこう》に行《い》くとか言《い》ってたけど…
そうそう、イタリアのレッチェとかいう所《ところ》に…
だったら、そのレッチェって所《ところ》に大事《だいじ》な何《なに》かを隠《かく》しに歩《ある》いて行《い》くつもりだったのかもしれないね！
レッチェ
司郎《しろう》さんって、自分《じぶん》がいなくなったらそこに捜《さが》しに来《き》てって言《い》ってたみたいだし…
何《なん》で歩《ある》いてなの？
だって、イタリアって靴《くつ》の形《かたち》してるじゃない！
とにかく！
これ以上《いじょう》我々《われわれ》を詮索《せんさく》したいなら…
ちゃんとした証拠《しょうこ》を見《み》つけてからにしてくれる？
俺《おれ》らも暇《ひま》じゃないんでね…
ガチャ
細工《さいく》は流々《りゅうりゅう》…
後《あと》は仕上《しあ》げをごろうじろてか？

百里《ひゃくり》行《い》く者《もの》 九十《きゅうじゅう》を半《なか》ばとす…
油断《ゆだん》は 禁物《きんもつ》ですよ…
ああ… 詰《つ》めを誤《あやま》っちゃ いけねぇな…
くそっ… 司郎《シロ》の アパート…
POLICE
案《あん》の定《じょう》、裏《うら》にも警察《けいさつ》が 張《は》り込《こ》んでる…
やっぱり、警察《けいさつ》での さっきのアレは ここにおびき寄《よ》せる 罠《わな》だったか…
え? タクシー 強盗《ごうとう》? この近《ちか》く で?
ああ、すぐに 向《む》かえって…
何《なに》?
ここを 離《はな》れる のか?
ブロロロ
POLICE
じゃあ、このアパートは もぬけの殻《から》…
忍《しの》び込《こ》む チャンス なんじゃ…

いや待《ま》て待《ま》て…
今《いま》、アパートの前《まえ》にへたり込《こ》んだ酔《よ》っ払《ぱら》いと…
さっきからうろついてるマスクの男《おとこ》…
あの2人《り》のどっちかが…
実《じつ》は刑事《けいじ》だって事《こと》も…
ヒック
おじさん、こんな所《とこ》で寝《ね》てると風邪《かぜ》ひいちゃうよ！
ヒック
ん？
うるへぇ〜〜〜〜!!
ガキはすっこんでろ!!
5
ヒック
酔《よ》っ払《ぱら》いは違《ちが》うか…
ちょっとあんた…大丈夫《だいじょうぶ》かい？
誰《だれ》か来《き》た…

もう飲《の》むのは
お開《ひら》きにして
帰《かえ》ろーよ！
ヒック
ヒック
ハン！
あと2～3軒《けん》は
軽《かる》いってーの！
ちょっ…
あ、
しいま
しぇ～くん…
痛《いた》たたた
足《あし》が折《お》れた
あぁぁ!!
ええ!?
コラ、てめぇ!!
医者代《いしゃだい》100万《まん》
出《だ》してもらおう
か!!
ひゃ、
100万《まん》って…
そんな大金《たいきん》
持《も》ってない
ですよ!!
んじゃ、
財布《さいふ》ごと
よこしな！
それで勘弁《かんべん》
してやる！
か、
喝上《かつあ》げ…
もしも
マスクの男《おとこ》が
刑事《けいじ》なら…
これを
見逃《みのが》す
わけが…
ガラ
6

へへ…
飲《の》み代《しろ》ができたぜ…
ピシャ
ま、まさかあの男《おとこ》…
下着《したぎ》ドロ!?
おいおい…
こ、今度《こんど》は司郎《シロ》の部屋《へや》に…
ガラッ
入《はい》った…
バカな!?
ダッ
そんな事《こと》をすれば…
アパートの表《おもて》に張《は》り込《こ》んでる警察《けいさつ》が…
ピシャ

い、いない…
そうか、ここで張《は》ってたパトカーもタクシー強盗《ごうとう》の現場《げんば》に…
ガチャ
司郎《シロ》の部屋《へや》からさっきの男《おとこ》が…
喝上《かつあ》げに下着《したぎ》ドロに空《あ》き巣《す》…
～♪
間違《まちが》いない！警察《けいさつ》は張《は》ってない…
今《いま》の内《うち》に…
例《れい》の物《もの》を…
ガチャ
どれだ!?
どの靴《くつ》に隠《かく》した？
もしかしてさー…

この靴《くつ》なんじゃない？
探《さが》してるの…
靴《くつ》の踵《かかと》が外《はず》れるようになってて、中《なか》に携帯電話《けいたいでんわ》のメモリーカードが入《はい》ってるよ！
そう…イタリアのレッチェ地方《ちほう》に当《あ》たる踵《かかと》の部分《ぶぶん》にね！
レッチェ
パカ
な、何《なん》なんだお前《まえ》は!?
やだなー何度《なんど》も会《あ》ったのに忘《わす》れちゃったの？
江戸川《えどがわ》コナン…
探偵《たんてい》さ…
た、探偵《たんてい》？
でもまさか…
我々《われわれ》の事《こと》は…
忘《わす》れちゃいない…
よね？

翠川《みどりかわ》尚樹《なおき》さんよォ！
ビクッ
じゃあ、やっぱりさっきの喝上《かつあ》げや空《あ》き巣《す》は…
ああ、空城《くうじょう》の計《けい》だ！
パトカーを引《ひ》き上《あ》げただけでは、そう見《み》せかけて実《じつ》はまだ刑事《けいじ》が潜《ひそ》んでいるかもと疑《うたが》うでしょうが…
その心理状態《しんりじょうたい》の中《なか》…アパートの周《まわ》りにいた者達《ものたち》が刑事《けいじ》らしからぬ行動《こうどう》を取《と》り、なおかつ、犯罪《はんざい》が多発《たはつ》すれば貴方《あなた》の警戒心《けいかいしん》を容易《ようい》に解《と》く事《こと》ができる…
つまり、これはわざと隙《すき》を作《つく》り相手《あいて》を誘《さそ》う罠《わな》だと見《み》せて逆《ぎゃく》に寄《よ》せつけないという本来《ほんらい》の「空城《くうじょう》の計《けい》」の、裏《うら》をかいた計略《けいりゃく》ですよ…
空城の計
やはり、警察《けいさつ》で靴《くつ》を匂《にお》わせたのはここへ誘《さそ》い出《だ》して犯人《はんにん》を割《わ》り出《だ》すための罠《わな》だったか…
いや、最初《さいしょ》からあんたがここに来《く》ると思《おも》ってたぜ？
え？
引《ひ》っ掛《か》かっていたんだよ…第《だい》1の事件《じけん》で被害者《ひがいしゃ》が遺《のこ》したダイイングメッセージを、何《なん》で第《だい》2の殺人現場《さつじんげんば》に犯人《はんにん》が遺《のこ》したかって事《こと》が…
だが、あの赤《あか》い壁《かべ》が元々《もともと》被害者《ひがいしゃ》が遺《のこ》したメッセージじゃなかったとしたら…
そう…

被害者《ひがいしゃ》でも犯人《はんにん》でもない第三者《だいさんしゃ》によって赤《あか》く塗《ぬ》り潰《つぶ》された物《もの》だとしたら…
犯人《はんにん》が捜査《そうさ》を撹乱《かくらん》するためにわざと第《だい》2の現場《げんば》に遺《のこ》したのもうなずけます…
じゃあ、その第三者《だいさんしゃ》が直木司郎《なおきしろう》さんだったのか?
ああ…犯人以外《はんにんいがい》で明石《あかし》のメッセージを塗《ぬ》り潰《つぶ》した奴《やつ》がいたんなら、カタカナでこう書《か》いてあったとしか思《おも》えねぇんだよ…
「ワタシハ　ナオキニコロサレタ」…つまり、翠川尚樹《みどりかわなおき》…あんたに殺《ころ》されたってな!
なるほど…そのメッセージを偶然《ぐうぜん》金《かね》をせびりにやって来《き》た直木司郎《なおきしろう》さんが見《み》つけ、自分《じぶん》の事《こと》だと勘違《かんちが》いして赤《あか》く塗《ぬ》り潰《つぶ》したのね…
でも、カタカナじゃなく漢字《かんじ》で書《か》けば勘違《かんちが》いしなかったのに…
スプレーで書《か》いたからなんじゃない?細《こま》かい字《じ》は潰《つぶ》れちゃうから…
ワタシハ
ナオキニ
コロサ
そして、その字《じ》を同《おな》じ赤《あか》いスプレーで塗《ぬ》り潰《つぶ》している最中《さいちゅう》に司郎《しろう》さんは気《き》づいたんです…
このナオキは自分《じぶん》の苗字《みょうじ》の直木《ナオキ》ではなく、明石《あかし》さんが唯一《ゆいいつ》名前《なまえ》で呼《よ》んでいた翠川尚樹《みどりかわナオキ》さんを指《さ》していたとね…
んで、その消《け》しかけの字《じ》を携帯《けいたい》の写《しゃ》メで撮《と》ってあんたを強請《ゆす》るネタにしたんだ…違《ちが》うか?
あ、ああ…「これ以上《いじょう》警察《けいさつ》に黙《だま》っていられない!高飛《たかと》びできる大金《たいきん》をよこせ」なんて言《い》うから…呼《よ》び出《だ》されたこの部屋《へや》で司郎《シロ》の首《くび》を…
くそっ!周作《しゅうさく》を餓死《がし》させた部屋《へや》に司郎《シロ》が入《はい》らなければ…私《わたし》が壁《かべ》を赤《あか》く塗《ぬ》り潰《つぶ》していれば…
あれれー?もしかしてオジさん、まだ赤《あか》い壁《かべ》の意味《いみ》わかってないの?

あれは補色残像《ほしょくざんぞう》っていって、ある色《いろ》をじっと見《み》た後《あと》に別《べつ》の所《ところ》を見《み》るとさっきまで見《み》てた色《いろ》の補色《ほしょく》が目《め》に残《のこ》っちゃう残像《ざんぞう》を使《つか》ったメッセージで…
赤《あか》の補色《ほしょく》は緑《みどり》だから、あの赤《あか》い壁《かべ》はミドリって呼《よ》ばれてた翠川《みどりかわ》さんが犯人《はんにん》だって言《い》ってるんだよ！
ええ!?
ホラ、手術着《しゅじゅつぎ》って薄緑色《うすみどりいろ》でしょ？あれは、手術中《しゅじゅつちゅう》に赤《あか》い血《ち》を見《み》てると補色《ほしょく》の緑《みどり》がチラついて集中《しゅうちゅう》できないのを同《おな》じ緑《みどり》で吸収《きゅうしゅう》して柔《やわ》らげるため…
——ってTV《テレビ》でやってたよ！
へー…
でも、そんなメッセージ…ノーヒントでわかるわけが…
いや、その布石《ふせき》はちゃんと打《う》ってあったぜ？
赤《あか》い壁《かべ》に向《む》けて白《しろ》い椅子《いす》、白《しろ》い壁《かべ》に向《む》けて黒《くろ》い椅子《いす》が釘付《くぎづ》けされていたのがそれだ！
しかも、明石周作《あかししゅうさく》はチェス好《ず》きだった…
チェスは白《しろ》が先手《せんて》で黒《くろ》が後手《ごて》…先《さき》に白《しろ》い椅子《いす》に座《すわ》って赤《あか》い壁《かべ》を見《み》た後《あと》で黒《くろ》い椅子《いす》に座《すわ》って白《しろ》い壁《かべ》を見《み》ると、翠川《あんた》を示《しめ》す緑色《みどりいろ》が目《め》に残《のこ》るって算段《さんだん》だ！
つまり、自分《じぶん》の遺体《いたい》を最初《さいしょ》に発見《はっけん》するのは恐《おそ》らく貴方《あなた》だろうと踏《ふ》み、何《なに》を書《か》いても消《け》されると危惧《きぐ》した周作《しゅうさく》さんは…
たとえ貴方《あなた》に塗《ぬ》り潰《つぶ》されたとしても、貴方《あなた》が犯人《はんにん》だとわかるメッセージを遺《のこ》したんですよ！
ま、まさに「死《し》せる孔明《こうめい》生《い》ける仲達《ちゅうたつ》を走《はし》らす」ですね!!
その通《とお》り…

「たとえ私《わたし》に塗《ぬ》り潰《つぶ》されても」か…いい気《き》なもんだ…
自分《じぶん》は大切《たいせつ》な絵《え》を塗《ぬ》り潰《つぶ》し…大切《たいせつ》な人《ひと》をむざむざ死《し》なせてしまったというのに…
そ、その絵《え》ってまさか…
ああ…葵《アオ》ちゃんが心臓発作《しんぞうほっさ》で倒《たお》れるまで探《さが》し続《つづ》けた、周作《しゅうさく》が昔《むかし》描《か》いたっていう葵《アオ》ちゃんの肖像画《しょうぞうが》…
その絵《え》が見《み》つかったんだよ!!
去年《きょねん》私《わたし》が買《か》った全《まった》く別《べつ》の肖像画《しょうぞうが》の下《した》からな!!
下《した》からって…
なんとなく葵《アオ》ちゃんに似《に》てるから買《か》ったんだが、もしやと思《おも》いX線《エックスせん》で検査《けんさ》してもらったらわかったんだ!
葵《アオ》ちゃんの肖像画《しょうぞうが》を白《しろ》く塗《ぬ》り潰《つぶ》してその上《うえ》から別《べつ》の絵《え》を描《か》いたって事《こと》がな!!
そ、そんな…
確《たし》かに周作《しゅうさく》の絵《え》が注目《ちゅうもく》され始《はじ》めたのはここ2〜3年《ねん》…
その絵《え》を描《か》いた頃《ころ》はキャンバスを買《か》う金《かね》にも困《こま》っていたから、そうしたのはやむを得《え》なかったかもしれないが…
どーして、奴《やつ》はその事《こと》を葵《アオ》ちゃんに言《い》わなかったんだ!?
ひと言《こと》葵《アオ》ちゃんにその事《こと》を明《あ》かしてくれさえすれば、葵《アオ》ちゃんは死《し》なずに済《す》んだのに…何《なん》で何《なに》も答《こた》えず部屋《へや》にこもって絵《え》なんかを…
…だから、私《わたし》は葵《アオ》ちゃんの苦《くる》しみを奴《やつ》にも思《おも》いしらせてやるために部屋《へや》に閉《と》じ込《こ》めて…
…葵《あおい》さんが亡《な》くなった翌日《よくじつ》…あの館《やかた》を訪《おとず》れた時《とき》、庭《にわ》で1枚《まい》の絵《え》が燃《も》やされていました…

まだ絵《え》の具《ぐ》が乾《かわ》ききっていない…
葵《あおい》さんの肖像画《しょうぞうが》がね…
じゃあ、周作《しゅうさく》さんが部屋《へや》にこもって描《か》いてた絵《え》って…
恐《おそ》らくその絵《え》でしょう…
葵《あおい》さんに何《なに》も告《つ》げず黙々《もくもく》とその絵《え》を仕上《しあ》げていたのは…
翌日《よくじつ》の葵《あおい》さんの誕生日《たんじょうび》に間《ま》に合《あ》わせ驚《おどろ》かせるため…
そ、そんな…そんな…
「疎《うと》きは親《した》しきを間《へだ》てず」…
親密《しんみつ》な間柄《あいだがら》の者《もの》に部外者《ぶがいしゃ》は口《くち》を出《だ》してはならないという事《こと》だったのかもしれませんね…
んじゃ高明《コウメイ》！
後《あと》は任《まか》せた！
まあ、あの赤《あか》い壁《かべ》の謎《なぞ》を最初《さいしょ》に解《と》いたのはお前《まえ》だ！
少々《しょうしょう》シャクだが、事件《じけん》の報告書《ほうこくしょ》頼《たの》んだぜ！
フッ…
やはりそうでしたか…
あん？
君《きみ》はあの少年《しょうねん》を監視役《かんしやく》として私《わたし》に付《つ》けたと言《い》っていたようですが…
仮《かり》にも容疑者《ようぎしゃ》の1人《り》として名《な》を連《つら》ねる私《わたし》にその行為《こうい》は危険過《きけんす》ぎる…

君《きみ》は最初《さいしょ》から私《わたし》を微塵《みじん》も疑《うたが》いもせず、あの白眉《はくび》の少年《しょうねん》を私《わたし》に帯同《たいどう》させたんですね…
事件《じけん》の真相《しんそう》を見抜《みぬ》く相棒《あいぼう》として…
おいおい、まだ小僧《こぞう》だぞ？
第《だい》2の殺人現場《さつじんげんば》の赤《あか》い壁《かべ》を見《み》てこれは警察《けいさつ》に対《たい》する挑発《ちょうはつ》だと我々《われわれ》が熱《いき》り立《た》っている最中《さなか》…
あの少年《しょうねん》だけはこう言《い》ってました…
でも犯人《はんにん》、怖《こわ》くなかったのかなぁ？
現場《げんば》の事《こと》詳《くわ》しく知《し》らなかったのに、ダイイングメッセージ真似《まね》しちゃうなんてさ！
あの言葉《ことば》がなければ、赤《あか》い壁《かべ》の真相《しんそう》に辿《たど》り着《つ》けたかどうか…
証拠《しょうこ》の隠《かく》し場所《ばしょ》もしかり…
証拠《しょうこ》がないと我々《われわれ》が考《かんが》えを巡《めぐ》らせている時《とき》に、レッチェの情報《じょうほう》を少年《しょうねん》が口《くち》にしたから答《こた》えが導《みちび》かれた…
そうやって私《わたし》に事件《じけん》を解《と》かせ、手柄《てがら》を与《あた》えて長野県警本部《ながのけんけいほんぶ》に復帰《ふっき》させる算段《さんだん》だったという所《ところ》でしょうか…
余計《よけい》な事《こと》を…
フン！
立場《たちば》が逆《ぎゃく》だったら、お前《まえ》も似《に》たような事《こと》してたんじゃねーのか？
いやいや…
私《わたし》は君《きみ》のように甘《あま》くはありません…
何《なに》!?

私《わたし》ならもっと巧妙《こうみょう》にやったと思《おも》いますよ…
君《きみ》に露《つゆ》ほども気取《けど》られないように…
ああそうかい、わかったよ!!
この事件《じけん》は俺《おれ》がもらう!!
一生《いっしょう》所轄《ショカツ》で燻《くすぶ》っていやがれ!!
………
でも敢助君《かんすけくん》…この少年《しょうねん》に会《あ》わせてくれた事《こと》はとても感謝《かんしゃ》していますよ…
お陰《かげ》で私《わたし》の脳裏《のうり》に蘇《よみがえ》りました…
私《わたし》が最《もっと》も愛《あい》した本《ほん》の…
最《もっと》も愛《あい》したフレーズが…
その少年《しょうねん》は何《なに》もかも見透《みす》かしたような涼《すず》やかな瞳《ひとみ》で静《しず》かに…そして重々《おもおも》しく真相《しんそう》を語《かた》り始《はじ》めた…
そう…あの名軍師《めいぐんし》・諸葛亮孔明《しょかつりょうこうめい》のように…

16

FILE《ファイル》.2 思《おも》い出《で》

—警視庁《けいしちょう》—
お疲《つか》れ〜〜〜!!
意外《いがい》に早《はや》く片付《かたづ》いたわねこの事件《じけん》!
まあ、高木君《たかぎくん》がしつこく張《は》り込《こ》んでくれたお陰《かげ》かな?
粘《ねば》り強《づよ》くって言《い》ってくださいよ…
はい!ご褒美《ほうび》!
はい!白鳥君《しらとりくん》も!
ご苦労《くろう》さま!
2

ん？
缶《かん》コーヒー嫌《きら》い？
あ…いえ…
んじゃ、この後《あと》3人《にん》で飯《めし》でも食《た》べよっか！
いいっスねー！
あ…
僕《ぼく》は遠《えん》慮《りょ》しておくよ…
明日《あした》は非《ひ》番《ばん》…
色々《いろいろ》予《よ》定《てい》があるんでね…
そう…
そーいえば、美味《おい》しいラーメン屋《や》さん見《み》つけましたよー！
お！でかしたぞ巡《じゅん》査《さ》部《ぶ》長《ちょう》！
ドン
3

まあ、予定《よてい》といっても…
1人《り》で映画《えいが》を観《み》るだけなんだがね…
ポピペ…
HAIDO CINEM
白壁
ホワイトクリフ
あれ？白鳥《しらとり》警部《けいぶ》！
え？
奇遇《きぐう》ですね！
でも意外《いがい》だわ…
白鳥《しらとり》警部《けいぶ》も好《す》きなんだね！
ゴメラがよ！
いや…僕《ぼく》が観《み》るのは白壁《ホワイトクリフ》で…
でも、今《いま》出《で》てきたチケットって…
あ…
スクリーン3
大怪獣ゴメラ ファイナル
F - 25
¥1,8
一般

ネットで予約《よやく》した時《とき》に1段間違《だんまちが》えたか…
席《せき》に着《つ》く前《まえ》に売店《ばいてん》で何《なに》か買《か》っておきましょうか！
オウ！
行《い》こ行《い》こ！
ワイワイ
しかし、まあたまの休日《きゅうじつ》…
子供気分《こどもきぶん》に浸《ひた》るのも悪《わる》くないか…
え？
なーんて顔《かお》してるわね…
どーせ、また佐藤刑事《さとうけいじ》がらみでショックな事《こと》があったんでしょうけど…
あきらめた方《ほう》がいいかもよ？
……
だって、佐藤刑事《さとうけいじ》高木刑事《たかぎけいじ》と病室《びょうしつ》で…
そう簡単《かんたん》には諦《あきら》められないよ…
彼女《かのじょ》は僕《ぼく》の人生《じんせい》を変《か》えた…
運命《うんめい》の人《ひと》だからね…
運命《うんめい》の人《ひと》？
そう…
あれは僕《ぼく》が小学生《しょうがくせい》の頃《ころ》…

本屋《ほんや》さんで参考書《さんこうしょ》を選《えら》んでいた時《とき》だったよ…
わたし、見《み》たんだから!!
あんた達《たち》が漫画本《まんがぼん》を服《ふく》の中《なか》に入《い》れてるトコ!
あんだとこのガキ…
放《ほう》っとけよ…
行《い》こうぜ!
待《ま》ちなさいよドロボー!
——っせぇんだよ!!
きゃっ
僕《ぼく》も目撃《もくげき》しましたよ…
お兄《にい》さん達《たち》が万引《まんび》きしている現場《げんば》をね…
何《なん》だとコラ!
刑法《けいほう》第《だい》235条《じょう》…

他人《たにん》の財物《ざいぶつ》を窃取《せっしゅ》した者《もの》は窃盗《せっとう》の罪《つみ》とし…
10年《ねん》以下《いか》の懲役《ちょうえき》に処《しょ》する…
お、お客様《きゃくさま》何《なに》か？
ザワ
ザワ
あ、いやあのガキと本《ほん》の取《と》り合《あ》いになっちまってよ…
このコミック人気《にんき》あっからよ！
坊《ぼっ》ちゃま…どうかなさいましたか？
ああ、別《べつ》に…何《なん》でもないよ…
誰《だれ》かお捜《さが》しですか？
いや…
参考書《さんこうしょ》なら私《わたし》に言《い》ってくだされば買《か》っておきましたのに…
ダメだよ！直接《ちょくせつ》見《み》て優《すぐ》れた本《ほん》を選別《せんべつ》できる眼《め》を養《やしな》わないと…
有能《ゆうのう》な法律家《ほうりつか》になるためにもね！
仰《おっ》しゃる通《とお》りで…
コン
コン

はい、これ！
さっき助《たす》けてくれたお礼《れい》！
そこのファーストフードでコーラ買《か》ってストローの包《つつ》み紙《がみ》で慌《あわ》てて作《つく》ったから、きれいにできなかったけど…
桜《さくら》ですね…
うん！勇気《ゆうき》の印《しるし》よ！
でも、桜《さくら》にそんな花言葉《はなことば》はなかったかと…
でもさ、桜《さくら》は警察《けいさつ》の人《ひと》がみんなつけてるマークだよ！
強《つよ》くて優《やさ》しくてカッコイイ正義《せいぎ》の花《はな》なんだから!!
…なるほど…それで刑事《けいじ》になったってわけね…
ああ…
だから、彼女《かのじょ》と捜査一課《そうさいっか》で再会《さいかい》した時《とき》は結《むす》ばれる運命《うんめい》だと確信《かくしん》したよ…
高木君《たかぎくん》が現《あらわ》れるまではね…
でも、その少女《しょうじょ》本当《ほんとう》に佐藤刑事《さとうけいじ》だったのかしら？
8

名前《なまえ》は聞《き》かなかったの？
ああ…
でも、あの顔立《かおだ》ちは間違《まちが》いなく…
でもねぇ…あの男勝《おとこまさ》りの佐藤刑事《さとうけいじ》が…そんな女《おんな》の子《こ》っぽい事《こと》するかしら？
…僕《ぼく》もそこだけがひっかかって…
おい！そろそろ時間《じかん》だから入《はい》ろーぜ！
あなた達《たち》も飲《の》み物《もの》を買《か》うなら早《はや》くしてください！
ポップコーンは買《か》っといたから！
まぁ、佐藤刑事《さとうけいじ》本人《ほんにん》に確《たし》かめてみるんだね…
もしかしたら大逆転《だいぎゃくてん》って事《こと》もあるかもしれないわよ…
………
ご注文《ちゅうもん》は？
じゃあ、コーラで…
大逆転《だいぎゃくてん》か…
ねえ、ストローの包《つつ》み紙《がみ》くれる？
いいけどよ…
何《なに》するんですか？
ひ…
み…
っ♥

あった！ボク達《たち》の席《せき》ここですよ！
すっげー！スクリーンの真《ま》っ正面《しょうめん》じゃんかよ！
ネットでチケットを取《と》ってくれた博士《はかせ》に感謝《かんしゃ》しなきゃね！
ええ！この映画《えいが》は混《こ》むのが予想《よそう》されてましたから…
博士《はかせ》も来《こ》られればよかったのにね…
急用《きゅうよう》だから仕方《しかた》ないですよ…
僕《ぼく》の席《せき》は子供達《こどもたち》の真《ま》ん前《まえ》か…
あっと…
ご、ごめんなさい！
コーラですか？
え、ええ…
じゃあ、すぐに新《あたら》しいの買《か》って来《き》ますから！
フッ…
思《おも》い出《で》もこれじゃー台無《だいな》しだな…

はい！
さっきはすみませんでした…
花《はな》…ですか…
あ、それ…子供《こども》の頃《ころ》からの癖《くせ》で…
ストローの包《つつ》み紙《がみ》をもらうとつい作《つく》っちゃうんです…
笠倉那海《かさくらなみ》(27)
観客《かんきゃく》
お詫《わび》のつもりだったんですけど、嫌《いや》なら外《はず》しちゃってください…
あ…
いや…
あ！さっきのお姉《ねえ》さんだ！
わたし達《たち》ここだよー！
さっき、チケットの発券機《はっけんき》の上《うえ》に財布《さいふ》を置《お》き忘《わす》れているのをあの子《こ》達《たち》が教《おし》えてくれたんです…
そうですか…
でも、まさかあなたと席《せき》が隣同士《となりどうし》だったなんて…
ええ…運命的《うんめいてき》なものを感《かん》じますね…

う、運命《うんめい》ですか？
ちょっと大袈裟《おおげさ》すぎましたかね…
おや？あの2人《り》…
いい感《かん》じだね！
新《あら》たな恋《こい》の予感《よかん》…
——ってか？
ゴメラお願《ねが》い！
あなたの最後《さいご》の力《ちから》を私達《わたしたち》に…
最後最後《さいごさいご》って、よく引《ひ》っ張《ば》るわねこの映画《えいが》…
ああ…前作《ぜんさく》の題名《タイトル》が「さらばゴメラ」…その前《まえ》が「ゴメラよ永遠《とわ》に」だからね…
まあ、子供達《こどもたち》が夢中《むちゅう》ならOK《オーケー》なんじゃねえか？
ん？

携帯《けいたい》電話《でんわ》？
チカ
うおっ やべぇ…
ゴメラの内臓《ないぞう》が…
よくできたCG《シージー》だなこりゃ…
へ？
ザッ
ザッ
おい、灰原《はいばら》ありゃーCG《シージー》…
ギュ
え!?
きゃっ
すごかったなゴメラファイナル!!
ふぁ
ええ、感動《かんどう》しました！
大丈夫《だいじょうぶ》ですか？
ええ…
少々《しょうしょう》寝不足《ねぶそく》なだけで…
仕方《しかた》ないよ！

刑事《けいじ》さんは普段《ふだん》お仕事《しごと》であんまり寝《ね》れない事《こと》多《おお》いもんね！
え？
警察《けいさつ》の方《かた》なんですか？
ええ…
今日《きょう》は非番《ひばん》ですけど…
…………
どうかされましたか？
あ、いえ…警察《けいさつ》に相談《そうだん》に行《い》こうと思《おも》っていたんですけど…
聞《き》いていただけます？
ホー…
ストーカーですか…
ゴオオオ
は、はい…先日《せんじつ》から何《なに》かそんな感《かん》じがして…
知《し》り合《あ》いや友人《ゆうじん》には相談《そうだん》されなかったんですか？

あ、一応《いちおう》付《つ》き合《あ》ってる彼《かれ》に言《い》って…今《いま》、マンションの部屋《へや》に居《い》てもらってますけど…
彼《かれ》…
ですか…
残念《ざんねん》だったわね…
おい、そっちもっと詰《つ》めろよ！
無理《むり》ですよ！
元太君《げんたくん》太《ふと》り過《す》ぎ!!
君達《きみたち》…あんまり騒《さわ》ぐと降《お》りてもらいますよ！
なるほど…
誰《だれ》かに尾《つ》けられたり…出《だ》したゴミを漁《あさ》られたり…
無言電話《むごんでんわ》ですか…
ええ…
まあ、全部《ぜんぶ》私《わたし》の気《き》のせいって事《こと》もありますけどね…
ガチャ
ただいまー！
今日《きょう》ね、刑事《けいじ》さんと偶然《ぐうぜん》知《し》り合《あ》いに…
なって…

15

16

FILE《ファイル》.3
サクラチル

ホー…映画館《えいがかん》で…
じゃあ、白鳥君《しらとりくん》君《きみ》は この笠倉《かさくら》さんと映画館《えいがかん》で偶然《ぐうぜん》 席《せき》が隣同士《となりどうし》になったと…
はい…
そして、私《わたし》が刑事《けいじ》だと知《し》った彼女《かのじょ》からストーカー被害《ひがい》に遭《あ》っていると相談《そうだん》され…
この彼女《かのじょ》のマンションの部屋《へや》に来《き》てみたら…
POLICE
この遺体《いたい》を発見《はっけん》したというわけです…

名前《なまえ》は染井芳郎《そめいよしろう》さん30歳《さい》…
近《ちか》くの証券会社《しょうけんがいしゃ》に勤務《きんむ》する証券《しょうけん》マンで…
あなたと付《つ》き合《あ》っていた彼氏《かれし》…でよろしいですね？
はい…ストーカーに悩《なや》んでいる事《こと》を彼《かれ》にも話《はな》して、2〜3日前《にちまえ》から部屋《へや》に来《き》てもらっていました…
検視官《けんしかん》の報告《ほうこく》によると死亡推定時刻《しぼうすいていじこく》は今日《きょう》の午後《ごご》2時頃《じごろ》…
殺害方法《さつがいほうほう》は撲殺《ぼくさつ》…堅《かた》い棒状《ぼうじょう》の物《もの》で殴《なぐ》られているそうです…
玄関《げんかん》の鍵《かぎ》は？
かかっていましたけど、彼《かれ》が腰《こし》に付《つ》けていた合《あ》い鍵《かぎ》がなくなっているので…
だったら、犯人《はんにん》が犯行後《はんこうご》その合《あ》い鍵《かぎ》で鍵《かぎ》をかけて立《た》ち去《さ》ったかもしれませんね…死体発見《したいはっけん》を少《すこ》しでも遅《おく》らせるために…
…となると怪《あや》しいのはそのストーカー…どうやって部屋《へや》に入《はい》ったかはわからんが…
そのストーカーがあなたに異常《いじょう》な好意《こうい》を寄《よ》せていたのなら…
あなたの部屋《へや》に泊《と》まり込《こ》んでいる彼《かれ》に殺意《さつい》を持《も》ったとしてもおかしくない…
そ、そんな…
もしくは…

そう見《み》せかけてあなたが殺《ころ》したか…
え?
ちょっと待《ま》ってくださいよ、目暮警部《めぐれけいぶ》！
2時頃《じごろ》なら彼女《かのじょ》は映画館《えいがかん》で私《わたし》の隣《となり》に座《すわ》っている映画《えいが》を観《み》ている最中《さいちゅう》…
彼女《かのじょ》には無理《むり》ですよ…
だが、ここからその映画館《えいがかん》まで車《くるま》で5分《ふん》足《た》らず…
トイレに行《い》く振《ふ》りをして映画館《えいがかん》を抜《ぬ》け出《だ》し、タクシーで往復《おうふく》すれば犯行《はんこう》は可能《かのう》だよ！
まあ、ずっと彼女《かのじょ》が隣《となり》の席《せき》にいたと君《きみ》が証言《しょうげん》できれば問題《もんだい》ないが…
い、いやそれは…途中《とちゅう》でウトウトしていましたので…
警部《けいぶ》！
どうやら被害者《ひがいしゃ》は犯行時刻《はんこうじこく》の2時頃《じごろ》誰《だれ》かに電話《でんわ》しているみたいですよ！
何《なに》!?
4
あ、それ私《わたし》かもしれません…
映画《えいが》を観《み》てる最中《さいちゅう》に携帯《けいたい》がブルって慌《あわ》てて切《き》ったので…上映前《じょうえいまえ》に電源《でんげん》を切《き》るのを忘《わす》れてて…
その事《こと》、君《きみ》は覚《おぼ》えているかね?
いや…丁度《ちょうど》寝《ね》ていたようで…
それって、歩美《あゆみ》見《み》たよ！

映画観《えいがみ》てたら急《きゅう》にピカって光《ひか》ってさ…
その姉《ねえ》ちゃんの帽子《ぼうし》が見《み》えたぞ！
多分《たぶん》、携帯《けいたい》がブルって電源《でんげん》を切《き》ろうとして開《あ》けた時《とき》の光《ひかり》が漏《も》れたんだと思《おも》いますけど…
その電話《でんわ》が殺《ころ》された彼《かれ》からの電話《でんわ》だったなら、決定的《けっていてき》なアリバイになるんじゃない？
た、確《たし》かにそうだが…
何《なん》で君《きみ》らまでここに来《き》たんだね？
このお姉《ねえ》さんがボク達《たち》にお昼《ひる》をご馳走《ちそう》してくれるって言《い》ったからだよ！
映画《えいが》のチケットの発券機《はっけんき》の上《うえ》にお姉《ねえ》さんが財布《さいふ》を置《お》き忘《わす》れてるのを…
ボク達《たち》が見《み》つけて教《おし》えてあげたお礼《れい》にね！
でも、本当《ほんとう》に驚《おどろ》いたのは携帯《けいたい》が光《ひか》ったちょっと後《あと》ですよね？
ああ、マジビビったぜ！
ん？
何《なに》かあったのかね？
あ、多分《たぶん》…

ゴメラがやられて内臓《ないぞう》が見《み》えるシーンがあって…
その映像《えいぞう》がリアルでグロテスクだったからなんじゃ…
ゴメラって怪獣《かいじゅう》の？
そんな映画《えいが》を観《み》ていたんですか？
は、はい…特撮《とくさつ》好《ず》きで…
いけませんか？
あ、いやそのシーンもエグかったけど…
ホントにビックリしたのはさー…
そのシーンの後《あと》の…
ああ…ゴメラが相手《あいて》の怪獣《かいじゅう》の首《くび》を噛《か》み砕《くだ》いたシーンね！
え？
飛《と》び散《ち》る血《ち》の量《りょう》がすごかったから…
そんな映画《えいが》を君《きみ》も？
ええまあ…
それで？映画《えいが》を観《み》ていた時間《じかん》は午後《ごご》1時《じ》から3時《じ》で間違《まちが》いないんだね？
ええ、正確《せいかく》には…
午後《ごご》1時《じ》5分《ふん》から…
ん？
ヒラ

6

これって確《たし》か…
笠倉《かさくら》さんが白鳥警部《しらとりけいぶ》に買《か》ってきたコーラのカップにくっつけてた…
午後《ごご》2時《じ》50分《ぷん》までの1時間《じかん》45分《ふん》です…
まあ、念《ねん》のため高木君《たかぎくん》に映画館《えいがかん》に行《い》ってもらって確《たし》かめてもらいましょう…
彼女《かのじょ》が上映中《じょうえいちゅう》に外《そと》に出《で》ていない事《こと》を…
パタ
少々《しょうしょう》気《き》になる事《こと》もありますし…
じゃあ高木君《たかぎくん》！頼《たの》んだぞ！
はい！
では、その間《あいだ》我々《われわれ》は部屋《へや》の中《なか》を調《しら》べさせてもらいますか…
よろしいですね？
え、ええ…
ストーカーに尾《つ》け回《まわ》されていたのなら、部屋《へや》のどこかに盗聴器《とうちょうき》とか隠《かく》しカメラが仕掛《しか》けられているかもしれんでしょ？
そ、そうですね…
よろしくお願《ねが》いします…
………

おい
白鳥《しらとり》君《くん》…
何《なに》か
見《み》つかった
かね？
パカ
まだ
何《なに》も…
ん？
どうか
したか？
いや
別《べつ》に…
パタン
見覚《みおぼ》えのない
家具《かぐ》とか人形《にんぎょう》とか
ありませんか？
さあ…
特《とく》には…

コナン君《くん》…君《きみ》は調《しら》べなくていいんだよ…
部屋《へや》の隅《すみ》で大人《おとな》しくしといてくれんか？
あ、ゴメン…
なあ歩美《あゆみ》…
さっきから何《なに》してるんですか？
お花《はな》だよ！
最初《さいしょ》にストローの包《つつ》み紙《がみ》の点線《てんせん》のトコを…
丁寧《ていねい》にちぎってー…
開《ひら》いて長細《ながほそ》い紙《かみ》にしたらー…
それを段々《だんだん》に折《お》っていくの…
そして折《お》った紙《かみ》を…
ビリ
ビリ
まとめてこんな形《かたち》にちぎるとー…
あーら…
不思議《ふしぎ》…
お花《はな》の帯《おび》のできあがりー♥
おーすげー！
見事《みごと》です！
ワイ
ワイ
あいつら殺人現場《さつじんげんば》で何《なに》やってんだ…
で？

犯人《はんにん》はやっぱりあの笠倉《かさくら》さんなの？
え？
さっきそんな顔《かお》で彼女《かのじょ》の事《こと》見《み》てたでしょ？
あ、ああ…
特撮《とくさつ》ファンにしてはフィギュアやそれ関係《かんけい》の本《ほん》がねえなぁって思《おも》ってよ…
それだけじゃないでしょ？アリバイのある彼女《かのじょ》を疑《うたが》う理由《りゆう》…
しかも、証人《しょうにん》は私達《わたしたち》だし…
映画館《えいがかん》の席《せき》だよ…
席《せき》？
妙《みょう》だと思《おも》わなかったか？
確《たし》か私達《わたしたち》5人《にん》が中央《ちゅうおう》の最前列《さいぜんれつ》の席《せき》で…
白鳥警部《しらとりけいぶ》と彼女《かのじょ》の席《せき》が通路《つうろ》を挟《はさ》んだ私達《わたしたち》の真《ま》ん前《まえ》だったわよね？
それのどこが妙《みょう》なのよ？
オレ達《たち》が観《み》た回《かい》は日曜日《にちようび》のお昼《ひる》…

当然《とうぜん》親子《おやこ》連《づ》れで超満員《ちょうまんいん》だったのに…
なぜか彼女《かのじょ》と白鳥警部《しらとりけいぶ》の両脇《りょうわき》の席《せき》が空《あ》いていた…
たまたまなんじゃない？
それに、今日偶然《きょうぐうぜん》彼女《かのじょ》と知《し》り合《あ》ったオレ達《たち》が…彼女《かのじょ》のアリバイの証人《しょうにん》になったのも引《ひ》っ掛《か》かる…
でも、あなたも見《み》たでしょ？犯行時刻《はんこうじこく》に彼女《かのじょ》が館内《かんない》にいたのを！
ああ見《み》たよ…
彼女《かのじょ》の帽子《ぼうし》はな…
ちょっと、それってまさか…
まあ大丈夫《だいじょうぶ》だよ！
多分《たぶん》白鳥警部《しらとりけいぶ》もそれに気《き》づいて、高木刑事《たかぎけいじ》を映画館《えいがかん》に行《い》かせたみたいだから…
その証拠《しょうこ》を懐《ふところ》に忍《しの》ばせてな…
ああ高木君《たかぎくん》か？
何《なに》かわかったかね？
はあ、それが…

上映中《じょうえいちゅう》にトイレに立《た》った人《ひと》はかなりいたようで…
誰《だれ》が出《で》入《い》りしたかなんて覚《おぼ》えてないと…
大怪獣ゴメラファイナ
ガヤ
ガヤ
まあ、映画《えいが》のチケットの半券《はんけん》を見《み》せるだけで出《で》入《い》りできますし…
今日《きょう》は日曜日《にちようび》でかなり混《こ》んでいますので無理《むり》ないかと…
ガヤ
ガヤ
あ、高木君《たかぎくん》！
そのフロアにゴミ箱《ばこ》があるだろ？
え、ええ…
こんもり溜《た》まってて今《いま》ゴミ袋《ぶくろ》を取《と》り替《か》えようとしてますけど…
じゃあ、刑事《けいじ》だと伝《つた》えてそれを回収《かいしゅう》してくれ！
その中《なか》に花《はな》を形取《かたど》ったストローの包《つつ》み紙《がみ》が巻《ま》いてあるカップがあるはずなんだが…
………
あ、ありました！
それを鑑識《かんしき》に回《まわ》してくれないか？念《ねん》のために袋《ふくろ》に入《はい》った他《ほか》のカップも一緒《いっしょ》に…
調《しら》べるのはカップに付《つ》いた指紋《しもん》と中《なか》の飲《の》み物《もの》の成分《せいぶん》…
それと…
それと…？

いや、それだけでいい…
結果《けっか》が出《で》次第《しだい》教《おし》えてくれ…
え？
ちょっと手《て》を洗《あら》って来《き》ますね…
あ、ああ…
……
………
ピ
バシャ
バシャ
キュ
ねぇどうして？

どうしてストローの包《つつ》み紙《がみ》の事《こと》聞《き》かなかったの？
え？
決定的《けっていてき》な証拠《しょうこ》になったかもしれないのに…
ハハ…
いったい何《なに》を言《い》って…
まさか、彼女《かのじょ》が美人《びじん》でせっかく仲良《なかよ》くなったから…
なんて寝《ね》ぼけた事《こと》言《い》わないわよね？
捜査《そうさ》に私情《しじょう》は禁物《きんもつ》…
だったよね？
白鳥警部《しらとりけいぶ》…
全《まった》く…
その通《とお》りだな…
ピポパペ

え？
ここの売店《ばいてん》で飲《の》み物《もの》を買《か》え？
別《べつ》にノド渇《かわ》いてませんけど…
いいからすぐに買《か》って…
これから僕《ぼく》の言《い》う通《とお》りにしてくれ！
すぐ済《す》むから…
ねえ…
わかったわよ…白鳥警部《しらとりけいぶ》が躊躇《ちゅうちょ》した本当《ほんとう》の理由《りゆう》…
あん？
一応《いちおう》、言《い》われた通《とお》りに測《はか》りましたけど…
それで？長《なが》さは？少《すこ》し短《みじか》くなかったかい？
いや、ピッタリ一緒《いっしょ》でした…

そうか…
一緒《いっしょ》だったか…
そのカップ、鑑識《かんしき》に回《まわ》す前《まえ》にこっちへ持《も》って来《き》てくれないか?
ああ、すぐに…
………
どうやら、答《こた》え出《で》たみたいね…
ああ…
哀《かな》しい結末《けつまつ》の答《こた》えがな…
でもさ、桜《さくら》は警察《けいさつ》の人《ひと》がみんなつけてるマークだよ!
強《つよ》くて優《やさ》しくてカッコイイ…
正義《せいぎ》の花《はな》なんだから!

16

FILE《ファイル》.4
サクラサク

ウーム…
結局《けっきょく》、盗聴器《とうちょうき》や隠《かく》しカメラは出《で》て来《こ》なかったな…
ええ…
だが、まあ数日前《すうじつまえ》から何者《なにもの》かにストーカーされていたという…
この部屋《へや》の家主《やぬし》の笠倉《かさくら》さんの証言《しょうげん》を踏《ふ》まえると…
今日《きょう》の昼過《ひるす》ぎに笠倉《かさくら》さんが映画館《えいがかん》で映画《えいが》を観《み》ている最中《さいちゅう》に、そのストーカーがこの部屋《へや》に入《はい》り…
笠倉《かさくら》さんの帰《かえ》りを部屋《へや》で待《ま》っていた染井芳郎《そめいよしろう》さんを殺害《さつがい》し、そのまま逃走《とうそう》したと見《み》てまず間違《まちが》いないだろう…

恐《おそ》らく、宅配業者《たくはいぎょうしゃ》か何《なに》かを装《よそお》って押《お》し入《い》ったんだろうが…
この近辺《きんぺん》の聞《き》き込《こ》みをやってみん事《こと》には何《なん》とも言《い》えんな…
こ、この子達《こたち》はどうします？
笠倉《かさくら》さんのアリバイを証明《しょうめい》する大事《だいじ》な証人《しょうにん》だが…
もう陽《ひ》も暮《く》れて来《き》たし、事情聴取《じじょうちょうしゅ》は後日《ごじつ》やる事《こと》にしたよ…
じゃあ、警察《けいさつ》の車《くるま》で帰《かえ》してしまうんですか…？
いや、小学校《しょうがっこう》の担任《たんにん》の先生《せんせい》に迎《むか》えに来《き》てくれと頼《たの》んだんだ…阿笠《あがさ》さんも毛利君《もうりくん》も留守《るす》だったしな…
ん？子供達《こどもたち》の事《こと》で気になる事《こと》でもあるのかね？
あ…
いや…
白鳥《しらとり》警部《けいぶ》！
………
では、とりあえず笠倉《かさくら》さんには署《しょ》までご足労願《そくろうねが》って事情聴取《じじょうちょうしゅ》をさせてもらいましょうか…
あの…少《すこ》し1人《り》になる時間《じかん》を頂《いただ》けますか？彼《かれ》を亡《な》くしてかなりショックで…
そうですな…じゃあ、2～3時間後《じかんご》気《き》が落《お》ちついたら部下《ぶか》を迎《むか》えに…
いや…すぐに出頭《しゅっとう》してもらいましょう…参考人《さんこうにん》としてではなく…

3

この殺人《さつじん》事件《じけん》の被疑者《ひぎしゃ》として…
え？
染井芳郎《そめいよしろう》さんをこの部屋《へや》で撲殺《ぼくさつ》したのは笠倉那海《かさくらなみ》さん…
あなたですね？
あ…
や…
おいおい、何《なに》を言《い》い出《だ》すんだね白鳥君《しらとりくん》!?
被害者《ひがいしゃ》の死亡推定時刻《しぼうすいていじこく》からすると、犯行《はんこう》が行《おこな》われたのは今日《きょう》の午後《ごご》2時頃《じごろ》…
その時間《じかん》、笠倉《かさくら》さんは映画館《えいがかん》の君《きみ》の隣《となり》の席《せき》に座《すわ》り映画《えいが》を観《み》ていたと君《きみ》も言《い》っていたじゃないか？
そうだと思《おも》いましたが、ほとんど寝《ね》ていましたので…
君《きみ》が見《み》ていなくても被害者《ひがいしゃ》は殺《ころ》される直前《ちょくぜん》に笠倉《かさくら》さんの携帯《けいたい》に電話《でんわ》しておるし…その着信履歴《ちゃくしんりれき》も確認済《かくにんず》みだ！
しかも、その着信《ちゃくしん》の様子《ようす》を君達《きみたち》の後《うし》ろの席《せき》にいた子供達《こどもたち》が見《み》ているんだぞ？
おう！見《み》てたぞ！

真《ま》っ暗《くら》ん中《なか》で前《まえ》の席《せき》がピカっと明《あか》るくなってよ!
帽子《ぼうし》を被《かぶ》ってるそのお姉《ねえ》さんが見《み》えました!
あれって、電話《でんわ》がかかって来《き》たって事《こと》だもん!
ねぇ!コナン君《くん》も哀《あい》ちゃんも見《み》たよね?
ええ 見《み》たわよ…
そのお姉《ねえ》さんの…
毛糸《けいと》の帽子《ぼうし》だけはね…
え?
帽子《ぼうし》だけはって… まさか…
5
そう…オレ達《たち》は笠倉《かさくら》さん本人《ほんにん》を見《み》たわけじゃない…
見《み》たのは、その帽子《ぼうし》を被《かぶ》せられ携帯電話《けいたいでんわ》の光《ひかり》に照《て》らされて闇《やみ》の中《なか》に浮《う》かび上《あ》がった…

隣《となり》の席《せき》の白鳥警部《しらとりけいぶ》のシルエットだったってわけさ！
そうだよね？白鳥警部《しらとりけいぶ》！
あ、ああ…
し、しかし携帯電話《けいたいでんわ》が光《ひか》っても顔《かお》のそばにないと…
コーラのカップの上《うえ》ですよ！
そこに携帯電話《けいたいでんわ》を開《ひら》いたままにして置《お》いておけば…
電話《でんわ》を受信《じゅしん》した時《とき》に、丁度《ちょうど》手《て》で持《も》った位置《いち》で光《ひか》りますから…
もちろん音《おと》やバイブを切《き》った状態《じょうたい》でね…
しかしねぇ…君《きみ》は寝《ね》ていたから気《き》づかなかったようだが、上映中《じょうえいちゅう》に帽子《ぼうし》を被《かぶ》せたり携帯《けいたい》をカップの上《うえ》に置《お》いたりしたらいくらなんでも周《まわ》りの客《きゃく》が変《へん》に思《おも》うんじゃないか？
すぐそばの席《せき》に客《きゃく》がいたのなら不審《ふしん》に思《おも》うでしょうが…
我々《われわれ》の席《せき》の後《うし》ろは通路《つうろ》で両脇《りょうわき》は空席《くうせき》でした…

恐《おそ》らく、笠倉《かさくら》さんはあらかじめネットでその両脇《りょうわき》の席《せき》も購入《こうにゅう》していたんだと思《おも》います…
1つ席《せき》を空《あ》ければ、暗闇《くらやみ》の中《なか》で何《なに》をしようがほとんど気《き》づかれませんから…
じゃあ、彼女《かのじょ》が買《か》わずにおいたその間《あいだ》の席《せき》を君《きみ》が偶然《ぐうぜん》買《か》ったというわけか…
ええ…たとえ私《わたし》が買《か》わなくても、人気映画《にんきえいが》の日曜《にちよう》の昼《ひる》の回《かい》ですからすぐに埋《う》まったかと…
ちなみに、インターネットのチケットの購入画面《こうにゅうがめん》では席《せき》の埋《う》まり具合《ぐあい》も把握《はあく》できる…
自分《じぶん》が買《か》った席《せき》の真後《まうし》ろの席《せき》が5つまとめて埋《う》まったのを見《み》ていた笠倉《かさくら》さんは…
上映前《じょうえいまえ》にチケット発券機《はっけんき》のそばで張《は》り込んで、その席《せき》がこの子達《こたち》の席《せき》だと確認《かくにん》し…
オレG《ジー》の26！
歩美《あゆみ》はG《ジー》の25！
わざと子供達《こどもたち》の前《まえ》で財布《さいふ》を置《お》き忘《わす》れ…
それを子供達《こどもたち》に気《き》づいてもらって仲良《なかよ》くなり…
映画《えいが》を観《み》た後《あと》、何《なに》かの理由《りゆう》をつけこの部屋《へや》に連《つ》れて来《き》て一緒《いっしょ》に死体《したい》を発見《はっけん》し、アリバイの証人《しょうにん》になってもらうつもりだったんでしょう…
そ、そんな…
もっとも、彼女《かのじょ》は私《わたし》が刑事《けいじ》だと知《し》って私《わたし》も連《つ》れて来《く》る方《ほう》が話《はなし》が早《はや》いと踏《ふ》み、ストーカーの話《はなし》をでっち上《あ》げたんでしょうけど…
だ、だがなぁ…
君《きみ》が上映中《じょうえいちゅう》にたまたま眠《ねむ》くならないとこの犯行《はんこう》は…
たまたまじゃありませんよ…

恐《おそ》らく私《わたし》が飲《の》んでいたコーラの中《なか》には…
睡眠薬《すいみんやく》が混入《こんにゅう》されていたでしょうから…
バ、バカな!?そんな薬《くすり》を入《い》れられたのに君《きみ》は気《き》づかなかったのかね?
実《じつ》は席《せき》に着《つ》く前《まえ》に彼女《かのじょ》とぶつかり、手《て》に持《も》っていたコーラをこぼしてしまったんです…
多分《たぶん》、薬《くすり》を入《い》れたのはこぼれたコーラを彼女《かのじょ》が買《か》い直《なお》しに行《い》った時《とき》…チケットの半券《はんけん》を見《み》ながら私《わたし》が自分《じぶん》の席《せき》を見《み》つけたのを見《み》て彼女《かのじょ》は確信《かくしん》したんですよ…
眠《ねむ》らせて帽子《ぼうし》を被《かぶ》せる席《せき》の客《きゃく》は私《わたし》だとね…
もちろん、睡眠薬《すいみんやく》が短時間《たんじかん》で効《き》くかはその人《ひと》の体質《たいしつ》や体調《たいちょう》により個人差《こじんさ》が生《しょう》じますが…
それを彼女《かのじょ》が何度《なんど》も試《こころ》みていたのなら、いつかは私《わたし》のように寝入《ねい》ってしまう客《きゃく》も出《で》て来《き》ます…
まあ、チケットの購入履歴《こうにゅうりれき》を調《しら》べればわかるでしょう…
客《きゃく》が混《こ》みそうな土日《どにち》の昼《ひる》の回《かい》のあの3つの席《せき》を彼女《かのじょ》が立《た》て続《つづ》けに買《か》っている事《こと》がね…
でなければ、今日《きょう》観《み》られなかったはずの映画《えいが》の内容《ないよう》をあんなに把握《はあく》する事《こと》はできませんから…
み、観《み》たのは今日《きょう》が初《はじ》めてよ!前《まえ》に買《か》ったのは友達《ともだち》の席《せき》!何度《なんど》も誘《さそ》ったけど都合《つごう》が悪《わる》いって言《い》われて…
そ、それに私《わたし》があなたのコーラに睡眠薬《すいみんやく》を入《い》れたっていうのなら中身《なかみ》を調《しら》べればいいでしょ?
あなたのコーラのカップにはわかりやすく目印《めじるし》が付《つ》いてるし…

この花《はな》の事《こと》…
ですか?
え?
あなたが私《わたし》のカップに巻《ま》いたストローの包《つつ》み紙《がみ》で作《つく》った花《はな》の帯《おび》…実《じつ》は、1枚《まい》ちぎって記念《きねん》に手帳《てちょう》に挟《はさ》んでいたんです…
ですから、映画館《えいがかん》のゴミ箱《ばこ》に捨《す》てた私《わたし》のカップを調《しら》べれば…
ガチャ
持《も》って来《き》ましたよ映画館《えいがかん》のゴミ袋《ぶくろ》!
じゃあ、花《はな》の帯《おび》の長《なが》さの事《こと》をここでもう一度《いちど》…
あ、はい…
長《なが》さは真《ま》っサラのストローの包《つつ》み紙《がみ》と一緒《いっしょ》でしたけど…
妙《みょう》だな…白鳥君《しらとりくん》が一部《いちぶ》ちぎったのならその分《ぶん》短《みじか》くなっているはず…
そ、それは…
一度《いちど》映画館《えいがかん》を抜《ぬ》け出《だ》した時《とき》に睡眠薬《すいみんやく》入りのカップを持《も》って出《で》て…戻《もど》って来《き》た時《とき》に新《あたら》しいカップに新《あたら》しい花《はな》の帯《おび》を付《つ》けたんでしょう…
後《あと》で警察《けいさつ》に調《しら》べられる事《こと》を予想《よそう》してか…
ええ…
つまり犯行《はんこう》の流《なが》れはこうです!

上映前《じょうえいまえ》にアリバイの証人《しょうにん》となる客《きゃく》と仲良《なかよ》くなっておき…
隣《となり》の客《きゃく》の飲《の》み物《もの》に睡眠薬《すいみんやく》を混入《こんにゅう》する…
上映中《じょうえいちゅう》に客《きゃく》が寝《ね》たのを確認《かくにん》して自分《じぶん》の帽子《ぼうし》を被《かぶ》せ…
睡眠薬《すいみんやく》入《い》りのカップと自分《じぶん》のカップを入《い》れ替《か》えてその上《うえ》に携帯電話《けいたいでんわ》を置《お》いたら犯行開始《はんこうかいし》!
睡眠薬《すいみんやく》入《い》りのカップを持《も》ってこっそり映画館《えいがかん》を抜《ぬ》け出《だ》し、タクシーで自宅《じたく》に戻《もど》り…
部屋《へや》で待《ま》っていた被害者《ひがいしゃ》を撲殺《ぼくさつ》し、その直後《ちょくご》に彼《かれ》の電話《でんわ》から映画館《えいがかん》に置《お》いて来《き》た自分《じぶん》の携帯《けいたい》に電話《でんわ》をかける…
そして、その様子《ようす》を証人《しょうにん》となる客《きゃく》に目撃《もくげき》させれば…
犯行時《はんこうじ》に映画館《えいがかん》にいた事《こと》になりアリバイは成立《せいりつ》する!
あとは睡眠薬《すいみんやく》入《い》りのカップと凶器《きょうき》をどこかに捨《す》て…
タクシーで映画館《えいがかん》に戻《もど》り、自分《じぶん》の席《せき》に着《つ》いて客《きゃく》から帽子《ぼうし》を脱《ぬ》がせ、携帯《けいたい》をのせたカップを帯《おび》を付《つ》けた新《あたら》しいカップと交換《こうかん》したというわけです…
客《きゃく》が混《こ》む時間帯《じかんたい》にしたのは、トイレに立《た》つ客《きゃく》が多《おお》い方《ほう》が途中《とちゅう》で自分《じぶん》が抜《ぬ》け出《だ》しても出入《でい》り口《ぐち》の係員《かかりいん》の印象《いんしょう》に残《のこ》りにくいと思《おも》ったから…
花《はな》の帯《おび》をわざわざ新《あたら》しい物《もの》に付《つ》け替《か》えたのは、私《わたし》が帯《おび》の端《はし》ではなく途中《とちゅう》の花《はな》をちぎったため…
ピリ
恐《おそ》らく、帯《おび》をそのまま付《つ》け替《か》えようとした時《とき》に誤《あやま》って切《き》ってしまったと錯覚《さっかく》し…
切《き》れたままだと後《あと》で調《しら》べられたらカップのすり替《か》えがバレるかもしれないと思《おも》い、新《あたら》しい帯《おび》に付《つ》け替《か》えたっていうトコロでしょう…

もちろん、あなたはそうなる事《こと》も想定《そうてい》してあらかじめ予備《よび》の帯《おび》も用意《ようい》していたようですが…
あ、あんな花《はな》の帯《おび》が何《なん》だっていうのよ！
私《わたし》を犯人《はんにん》にしたいなら、私《わたし》を乗《の》せたっていうそのタクシーの運転手《うんてんしゅ》を今《いま》すぐここに連《つ》れて来《き》なさいよ!!
まあ、その運転手《うんてんしゅ》は調《しら》べればその内《うち》見《み》つかると思《おも》うよ…上映中《じょうえいちゅう》にお姉《ねえ》さんがタクシーに乗《の》ったのは間違《まちが》いないから…
え？
だって、お姉《ねえ》さん上映中《じょうえいちゅう》に地震《じしん》があった事《こと》知《し》らないじゃない！
あったよなぁ？
ああ、かなりでかいのがよ！
ゴメラの内臓《ないぞう》が見《み》えたシーンの後《あと》でした…
怖《こわ》くてコナン君《くん》にしがみついちゃったもん！
まあ、車《くるま》に乗《の》ってて移動《いどう》してたのなら地震《じしん》に気《き》づかなくても無理《むり》ないわね…
い、言《い》い忘《わす》れてたのよ！
彼《かれ》を亡《な》くして気《き》が動転《どうてん》してたから…
何《なん》なのよ！急《きゅう》にみんな手《て》の平《ひら》を返《かえ》したように！
あなただって最初《さいしょ》は私《わたし》をかばってくれてたじゃない！
目暮警部《めぐれけいぶ》にあなたのアリバイの事《こと》を聞《き》かれた時《とき》ですよ…
いや、丁度《ちょうど》寝《ね》ていたようで…
あの時《とき》、頭《あたま》をかいた手《て》に付《つ》いていたんです…あなたの帽子《ぼうし》の毛糸《けいと》が…
ですから、付着《ふちゃく》している可能性《かのうせい》は高《たか》いですよ…

その帽子《ぼうし》の内側《うちがわ》に私《わたし》の髪《かみ》の毛《け》がね…
じゃあ、とりあえずその帽子《ぼうし》を…
フン！調《しら》べたきゃ調《しら》べなさいよ!!
うぷ
パシ
どーせ出《で》て来《く》るでしょうよ！そのちぢれ頭《あたま》のスカした刑事《けいじ》の髪《かみ》の毛《け》がね!!
では認《みと》めるんだね？犯行《はんこう》を…
ええ…私《わたし》が殺《ころ》してやったわよ！あの胸《むな》クソ悪《わる》い詐欺師《さぎし》をね！
詐欺師《さぎし》？
あの男《おとこ》と付《つ》き合《あ》い始《はじ》めたのは7年前《ねんまえ》…20歳《ハタチ》の頃《ころ》…
12
とにかく、いつもお金《かね》に困《こま》っていくら貢《みつ》いだかわからないわ…
もう渡《わた》す金《かね》はないって言《い》ったら、私《わたし》のアクセを質《しち》に入《い》れようって言《い》い出《だ》して…
一旦《いったん》は彼《かれ》に預《あず》けたけど…母《はは》の形見《かたみ》の指輪《ゆびわ》だったから買《か》い戻《もど》そうと質屋《しちや》に行《い》ったら、そんな物《もの》預《あず》かってないって言《い》われて…
不審《ふしん》に思《おも》って彼《かれ》の後《あと》を尾《つ》けたのよ…

そして見《み》ちゃったってわけ！母《はは》の形見《かたみ》の指輪《ゆびわ》を…
私《わたし》と出会《であ》う2年《ねん》も前《まえ》から付《つ》き合《あ》い婚約《こんやく》までしてる、あの男《おとこ》の女《おんな》が付《つ》けている所《ところ》をね…
何《なん》でそれを警察《けいさつ》に言《い》わなかったんだね!? 立派《りっぱ》な詐欺罪《さぎざい》じゃないか！
警察《けいさつ》に言《い》ってもあの男《おとこ》が捕《つか》まるだけ！
私《わたし》の7年間《ねんかん》は戻《もど》って来《こ》ないわ!!
だから止《と》めてやったのよ!! あの男《おとこ》の人生《じんせい》を!!
若《わか》くて美《うつく》しい私《わたし》の7年間《ねんかん》を無駄《むだ》に浪費《ろうひ》させた罰《ばつ》としてね!!
まぁ、元々《もともと》警察《けいさつ》なんていけ好《す》かない奴《やつ》らだって思《おも》ってたし…
自分《じぶん》でやるっきゃないって思《おも》ったわけよ…
………
でもさ、桜《さくら》は警察《けいさつ》の人《ひと》がみんなつけてるマークだよ！強《つよ》くて優《やさ》しくてカッコイイ正義《せいぎ》の花《はな》なんだから！
以前《いぜん》のあなたはそうじゃなかった…残念《ざんねん》です…
あら、あんた私《わたし》を知《し》ってるの？
ええ…あなたは覚《おぼ》えていないでしょうけど…
じゃあ教《おし》えといてあげるわ…

女《おんな》が変《か》わらないって思《おも》ってるのは男《おとこ》のエゴ！
変《か》わるわよ！成《な》り行《ゆ》きによっちゃ天使《てんし》から悪魔《あくま》にも！
女心《おんなごころ》と秋《あき》の空《そら》ってね！
アハハハ
………
ひどいよねあのお姉《ねえ》さん…
言《い》い過《す》ぎです…
ズズ…
エゴって何《なん》だ？
自分勝手《じぶんかって》な思《おも》い込《こ》みの事《こと》…
はぁ…
大丈夫《だいじょうぶ》かね？
あ、白鳥警部《しらとりけいぶ》色々《いろいろ》あってね…
んじゃ、佐藤刑事《さとうけいじ》呼《よ》んで来《き》てやろっか？
ボク、電話番号《でんわばんごう》知《し》ってますよ！
それだけは勘弁《かんべん》してくれ…
何《なん》でだよ？お前《まえ》、佐藤刑事《さとうけいじ》がいると調子《ちょうし》いいじゃんか！
おいおい…
いいから僕《ぼく》の事《こと》は放《ほう》っといて…

え？
犯人《はんにん》を捕《つか》まえたご褒美《ほうび》♥
さっき、ストローの包《つつ》み紙《がみ》で作《つく》ったの！
さ、桜《さくら》…
だって、桜《さくら》は警察《けいさつ》の人《ひと》がみんなつけてるマークだよ！
強《つよ》くて優《やさ》しくてカッコイイ…
正義《せいぎ》の花《はな》なんだから!!
そ…
それ、誰《だれ》から？
小林先生《こばやしせんせい》だよ！
この前《まえ》、作《つく》り方《かた》教《おし》えてもらったの…
こ、小林先生《こばやしせんせい》って…
ガチャ
あの－…

私《わたし》の生徒《せいと》達《たち》がお邪魔《じゃま》してるって聞《き》いて来《き》たんですけど…
あー 小林《こばやし》先生《せんせい》だー！
では、すみませんがこの子《こ》達《たち》を…
はい…タクシーで家《いえ》まで…
いや…
ギュ
よろしければ僕《ぼく》の車《くるま》で…
あ、はい…
ゴオオオ
意外《いがい》にハッピーエンドだったわね…
ああ…
桜《さくら》咲《さ》くってか…

FILE《ファイル》.5
もののけ倉《ぐら》

え？
盗難事件《とうなんじけん》？
もしかして、今日《きょう》もニュースでやってたあれですか？
ええ…戸《と》締《じ》まりには気《き》をつけてください…
この界隈《かいわい》の宝石店《ほうせきてん》や古美術品店《アンティークショップ》を荒《あ》らし回《まわ》っている窃盗犯《せっとうはん》で、今月《こんげつ》に入《はい》ってもう5件目《けんめ》ですので…
でも、ここは小学校《しょうがっこう》、盗《と》られる物《もの》なんて…
2
いやいや、用心《ようじん》に越《こ》した事《こと》はありません！
何《なに》かあればすぐに僕《ぼく》に連絡《れんらく》を！
飛《と》んで来《き》ますから！
あ、はい！

また来《き》てますね 白鳥警部《しらとりけいぶ》…
昨日《きのう》も来《き》てたよ なぁ？
うん！
仕事熱心《しごとねっしん》だね！
ええ！市民《しみん》を守《まも》る警察官《けいさつかん》ですから！
いや、白鳥警部《しらとりけいぶ》は捜査《そうさ》1課《か》の強行犯係《きょうこうはんがかり》…
担当《たんとう》は主《おも》に殺人事件《さつじんじけん》…
盗難事件《とうなんじけん》の担当《たんとう》は捜査《そうさ》3課《か》！
まあ、怪盗《かいとう》キッドみてーな予告状《よこくじょう》を出《だ》して空《そら》を飛《と》び回《まわ》り世間《せけん》を大騒《おおさわ》ぎさせる派手《はで》な大泥棒《おおどろぼう》は、捜査《そうさ》2課《か》扱《あつか》いになっちまうけどな…
じゃあ何《なん》で来《き》てんだよ？
担当《たんとう》でもないのに…
あ、いやそれは…
仕方《しかた》ないじゃない？
3
白鳥警部《しらとりけいぶ》にとって小林先生《こばやしせんせい》は…
運命《うんめい》の人《ひと》だもの…

う…
運命《うんめい》の人《ひと》!?
しーっしーっ!
?
おい…その事《こと》は機会《きかい》を見《み》て自分《じぶん》で言《い》うから黙《だま》ってろって言《い》われたじゃねーか?
あら、そうだったかしら?
イラつくのよね…自分《じぶん》の気持《きも》ちをなかなか伝《つた》えず女《おんな》を振《ふ》り回《まわ》すラブコメ野郎《やろう》…
まさか、それオレの事《こと》じゃねぇだろーな?
まあ、いいカップルだとは思《おも》うわよ…
小林先生《こばやしせんせい》は江戸川乱歩《えどがわらんぽ》マニアで事件《じけん》好《ず》き!彼《かれ》から捜査《そうさ》の話《はなし》を色々《いろいろ》聞《き》けるだろーし…
答《こた》えてねーし…
事件《じけん》っていえばよ、この前《まえ》光彦《みつひこ》言《い》ってたよな?
そうそう、確《たし》か倉《くら》がどうとか…
ああ…
もののけ倉《ぐら》の事《こと》ですね!

もののけ倉《ぐら》?
ええ…
ウチのクラスの琢馬君《たくまくん》が、米花町《べいかちょう》5丁目《ちょうめ》にある親戚《しんせき》の家《いえ》で友達《ともだち》とかくれんぼをしていた時《とき》の事《こと》らしいんですけど…
友達《ともだち》が全然《ぜんぜん》見《み》つからなくて、もう倉《くら》しか捜《さが》す所《ところ》がないと思《おも》い…
木《き》に登《のぼ》って倉《くら》の窓《まど》から中《なか》を覗《のぞ》いたら…
高《たか》そうな美術品《びじゅつひん》などが大量《たいりょう》に置《お》かれていて…
そのお宝《たから》の陰《かげ》から誰《だれ》かがこっちを見《み》ていたそうです…
それ、かくれんぼしてた友達《ともだち》じゃねーのか?
琢馬君《たくまくん》もそう思《おも》って中《なか》に入《はい》ろうとしたけど、扉《とびら》に鍵《かぎ》がかかっていて友達《ともだち》の名前《なまえ》を呼《よ》んでも出《で》て来《こ》ないから、家《いえ》の人《ひと》に鍵《かぎ》を開《あ》けてくれと頼《たの》んだんです…
そうしたら家《いえ》の人《ひと》は…
その倉《くら》はもう何年《なんねん》も開《あ》けてないから、人《ひと》が入《はい》れるわけがないって言《い》われて…
そ、それで捜《さが》すのあきらめちゃったの?
いいえ!琢馬君《たくまくん》が絶対《ぜったい》人《ひと》がいたと言《い》い張《は》り、鍵《かぎ》を開《あ》けてもらって中《なか》に入《はい》ったら…
さっき見《み》たはずの人《ひと》やお宝《たから》は影《かげ》も形《かたち》もなくなっていて…
不思議《ふしぎ》そうな顔《かお》をした琢馬君《たくまくん》に、家《いえ》の人《ひと》がその倉《くら》の言《い》い伝《つた》えを教《おし》えてくれたそうです…
「この倉《くら》に大切《たいせつ》な物《もの》を置《お》いてはならない…置《お》けばたちまち消《き》えてしまう…

大喰《おおぐ》らいのもののけ倉《ぐら》に飲《の》み込《こ》まれてしまう」って…
ええ〜!?
ま、まさか捜《さが》してた友達《ともだち》も倉《くら》に喰《た》べられちまったのかよ!?
いえ、その後《あと》すぐ別《べつ》の所《ところ》からヒョッコリ出《で》て来《き》たそうです…
でも、そのショックで琢馬君《たくまくん》は毎晩《まいばん》悪《わる》い夢《ゆめ》にうなされてるらしいですけど…
今日《きょう》も学校《がっこう》お休《やす》みしてたもんね…
なるほど…
大喰《おおぐ》らいのもののけ倉《ぐら》…
まさに奇々怪々《ききかいかい》な江戸川乱歩《えどがわらんぽ》の世界《せかい》ね…
6
こ、小林先生《こばやしせんせい》…
白鳥警部《しらとりけいぶ》は?
さっき帰《かえ》られたわよ…
鼻歌《はなうた》まじりに…
それより、問題《もんだい》はその倉《くら》!
一刻《いっこく》も早《はや》く我《われ》ら少年探偵団《しょうねんたんていだん》でその倉《くら》の謎《なぞ》を解《と》いて、琢馬君《たくまくん》を安心《あんしん》させてあげなきゃいけない…

——って…
ちょっとー！
探偵団顧問《たんていだんこもん》の先生《せんせい》を無視《むし》しないでよー！
タッタカタ～ッ
小林先生《こばやしせんせい》が来《く》ると色々面倒《いろいろめんどう》ですから！
そこは入《はい》っちゃダメとかもう帰《かえ》る時間《じかん》だとかね…
足手《あして》まといだしよ！
それじゃあ、その問題《もんだい》の倉《くら》5丁目《ちょうめ》にあるらしいし…
同《おな》じ5丁目《ちょうめ》の毛利探偵事務所《もうりたんていじむしょ》に集合《しゅうごう》ってか？
んじゃ、ちょっと事務所《じむしょ》に入《はい》って待《ま》っててくれよ！
蘭姉《らんねえ》ちゃんに今日《きょう》は遅《おそ》くなるかもって書《か》き置《お》きしてくっから！
うん！
ガチャ
楽《たの》しみですねもののけ倉《ぐら》！
けど、マジで倉《くら》が化《ば》け物《もの》だったらどーすんだ？
平気《へいき》だよ！
きっとコナン君《くん》がお化《ば》けじゃないって解《と》いてくれるもん！
オウ！
ですね！
——ったく…

あなた達《たち》、毎度毎度《まいどまいど》江戸川君《えどがわくん》に頼《たよ》りっ放《ぱな》しね…
たまには、彼《かれ》をギャフンと言《い》わせたくならないの？
え？
無理《むり》ですよー…
コナン君《くん》頭《あたま》いーもん！
変《へん》な事《こと》いっぱい知《し》ってるしよォ…
私《わたし》は気構《きがま》えの事《こと》を言《い》ってるのよ！
それじゃー成長《せいちょう》しないわよ！
あのどこに…？
ト・イ・レ！
ガチャ
オレは成長《せいちょう》してるぞ…
今日《きょう》も母《かあ》ちゃんに大《おお》きくなったって言《い》われたし…
でもさ…
見《み》てみたいよね？コナン君《くん》のギャフンって言《い》う顔《かお》！
だよな？
ええ！一度《いちど》ぐらいは彼《かれ》がボク達《たち》に参《まい》ったをする情《なさ》けない顔《かお》を…
あ…
ガチャ
い、いや今《いま》のは…
かるーい冗談《じょうだん》でよ…
ウソだから…

8

悪《わる》い悪《わる》い、待《ま》たせたな…
ガチャ
ん？
どーした？机《つくえ》の周《まわ》りに集《あつ》まって…
あ…
いや…
小五郎《こごろう》のおっちゃんなら競馬場《けいばじょう》に行《い》ってていねーぞ…
あれ？灰原《はいばら》は？
呼《よ》んだ？
ジャー
んじゃ、早《はや》く行《い》こーぜその倉《くら》に!!
サッサと行《い》ってチャッチャと解決《かいけつ》しちゃお！
ボク達《たち》探偵団《たんていだん》の前《まえ》に謎《なぞ》なんてないんですから!!
ん？やけにはりきってんなオメーら…

あ、そう見《み》える?
まぁ、今日《きょう》のオレらはよ!
いつもと一味違《ひとあじちが》う事《こと》は確《たし》かですよ!!
どーでもいいけど、はりきり過《す》ぎて羽目外《はめはず》さないように…
はーい!
パタン
ガタ
ホー…琢馬君《たくまくん》の友達《ともだち》か…
それで、あの倉《くら》を調《しら》べに来《き》たんじゃな?
ええ!
オレら少年探偵団《しょうねんたんていだん》だからよ!
まあ 好奇心旺盛《こうきしんおうせい》なのはいいが、深入《ふかい》りしすぎて倉《くら》に喰《く》われんようにな!
ホッホッホ
だってよ!
大丈夫《だいじょうぶ》!お化《ば》け話《ばなし》のほとんどは恐怖心《きょうふしん》が生《う》み出《だ》す錯覚《さっかく》…
この世《よ》に解《と》けねぇ謎《なぞ》なんてよォ…
ちーっともないんだから!
あ、ああ…

へぇー…かなり古《ふる》そうだけど意外《いがい》に普通《ふつう》の倉《くら》ね…
なんでも幕末頃《ばくまつごろ》に建《た》てられたそうじゃ…
ガチャ
ガチャ
ん？
何《なに》撮《と》ってんだ？
写《しゃ》メだよ！
これから倉《くら》の謎《なぞ》を解《と》き明《あ》かすんですから！
その倉《くら》の周《まわ》りを撮《と》ってもいいじゃんか！
そ、そうだな…
ガチャ
ホレ、開《あ》いたぞ！
まあ、中《なか》には何《なに》もありゃせんがな…
おー！

すごく広《ひろ》ーい…
でも、真《ま》っ暗《くら》でほとんど何《なに》も見《み》えませんね…
かろうじて見《み》えるのは、天井《てんじょう》近《ちか》くに付《つ》いてる…
あの窓《まど》の隙間《すきま》から漏《も》れ出《で》る光《ひかり》だけか…
おーし！倉《くら》の中《なか》の写《しゃ》メ、撮《と》りまくろうぜ！
気《き》をつけろよ！足元《あしもと》暗《くら》いんだか…
ら!?
うわっ
イテテ…
コ、コナン君《くん》!?
自分《じぶん》で言《い》って自分《じぶん》でコケてりゃ世話《せわ》ないわね…

違《ちが》うよ…この階段《かいだん》が…
ん?
誰《だれ》かが歩《ある》いた足跡《あしあと》がある…
しかも、倉《くら》の真《ま》ん中《なか》だけ…
子供《こども》の足跡《あしあと》じゃねぇな…
あ…
あれは…
ソロバン?
足跡《あしあと》は壁《かべ》に埋《う》め込《こ》まれたこのソロバンにつながってる…
ん? ソロバンにしては珠《たま》の数《かず》が妙《みょう》だな…
おーい…何《なに》もありゃせんじゃろ? 扉《とびら》を閉《し》めるから出《で》て来《き》なされ!
あ、うん…
おい、オメーらも出《で》るぞ!
あ…
オウ!

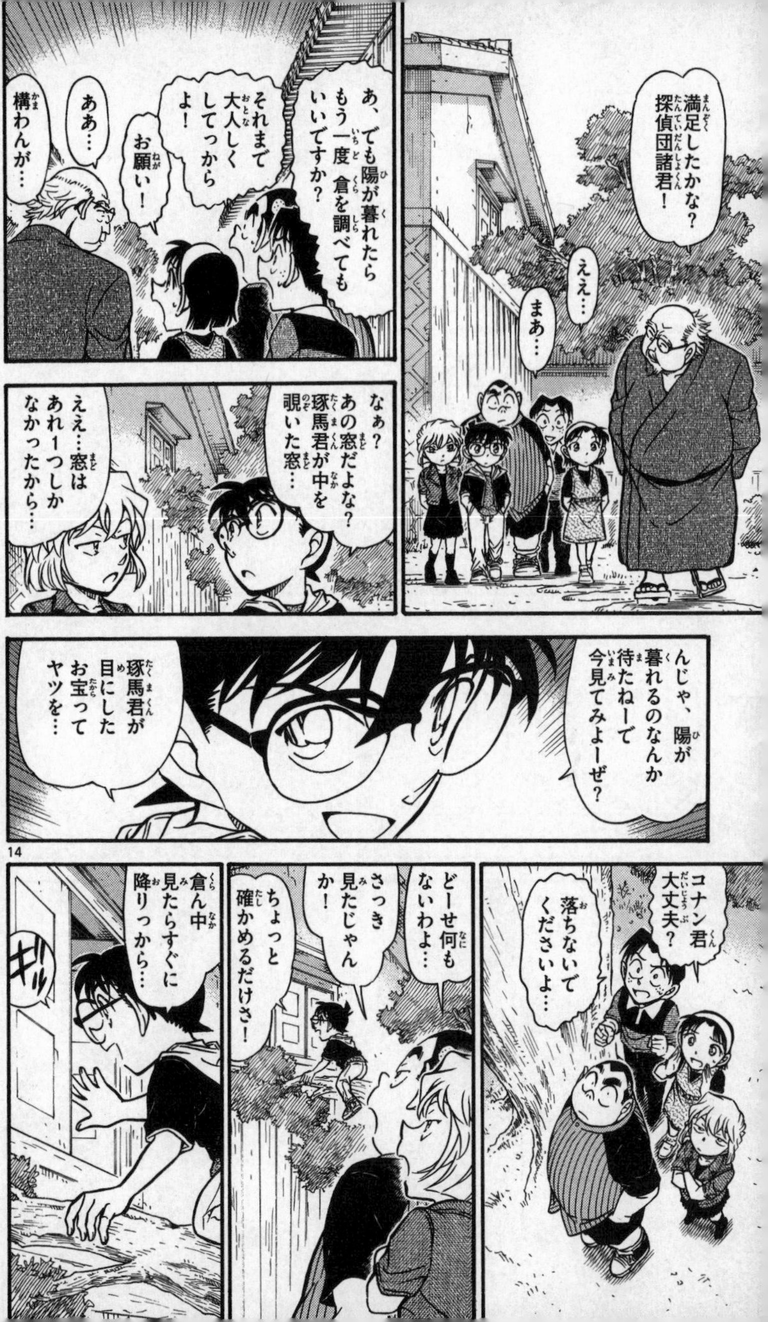
満足《まんぞく》したかな? 探偵団諸君《たんていだんしょくん》!
ええ…
まあ…
あ、でも陽《ひ》が暮《く》れたらもう一度《いちど》倉《くら》を調《しら》べてもいいですか?
それまで大人《おとな》しくしてっからよ!
お願《ねが》い!
ああ…
構《かま》わんが…
なぁ? あの窓《まど》だよな? 琢馬君《たくまくん》が中《なか》を覗《のぞ》いた窓《まど》…
ええ…窓《まど》はあれ1つしかなかったから…
んじゃ、陽《ひ》が暮《く》れるのなんか待《ま》たねーで今見《いまみ》てみよーぜ?
琢馬君《たくまくん》が目《め》にしたお宝《たから》ってヤツを…
コナン君《くん》大丈夫《だいじょうぶ》?
落《お》ちないでくださいよ…
どーせ何《なに》もないわよ…
さっき見《み》たじゃんか!
ちょっと確《たし》かめるだけさ!
倉《くら》ん中《なか》見《み》たらすぐに降《お》りっから…
ギッ

!?
え？
ちょっ…
さ、さっきのジイさん連《つ》れて来《こ》い!!
早《はや》く!!!
………
おいコナン？
何《なに》か見《み》えたんですか？
連《つ》れて来《き》たよー！
ガチャ
ギイィ…
何《なに》もありゃせんと思《おも》うが…

ほれみい!
そ、そんな…
バカな!?
で?何《なに》が見《み》えたわけ?
た、確《たし》かにあったんだよ…
さっきまで…
床《ゆか》一面《いちめん》に埋《う》めつくされた…
お宝《たから》の山《やま》がな!!

FILE《ファイル》.6
コナンVS探偵団《たんていだん》
4
8
7 3
2
5

ねぇ…
本当《ほんとう》に見《み》たんでしょうね？
ああ…
さっき、あの窓《まど》から覗《のぞ》いた時《とき》に確《たし》かにあったんだよ！
この倉《くら》の床《ゆか》に無数《むすう》に置《お》かれた…
美術品《びじゅつひん》や骨董品《こっとうひん》の山《やま》がな!!

2

でも、ないじゃない？
だから、何か《なに》あるはずなんだよ！
そのお宝《たから》を消《け》し去《さ》る仕《し》掛《か》けがこの床《ゆか》か…
あの天井《てんじょう》に…
いや…
天井《てんじょう》には何《なに》もないと思《おも》いますよ！
3
え？
その証拠《しょうこ》はこの写《しゃ》メ！
さっき コナン君《くん》が倉《くら》のそばの木《き》によじ登《のぼ》り、窓《まど》から倉《くら》の中《なか》を覗《のぞ》いた時《とき》の写真《しゃしん》です！
屋根《やね》のてっぺんから窓《まど》まで2m《メートル》ぐらいですよね？
そして、倉《くら》の中《なか》から見《み》たその窓《まど》も同《おな》じく…

天井《てんじょう》から2m《メートル》ぐらいです!!
つまり、天井《てんじょう》には仕掛《しか》けを施《ほどこ》す空間《くうかん》がないって事《こと》ですよ!
そ、そうだな…
となると、残《のこ》るはこの床《ゆか》ね…
ああ…多分《たぶん》、床《ゆか》が抜《ぬ》けてお宝《たから》が置《お》かれた本当《ほんとう》の床《ゆか》がせり上《あ》がるような仕掛《しか》けが…
それもねえぞ!
ありえないもん!
へ?
こっち来《き》て見《み》てみろよ!
ホラこれ!
ん?

探偵《たんてい》バッジ…
げんた
DETECTIVE BOYS
バッジの周《まわ》りがえんぴつの線《せん》で囲《かこ》ってあるな…
オレがつけたんだよ！
そこに置《お》いたって印《しるし》をよ！
歩美《あゆみ》のバッジはこっち！
ホラ！歩美《あゆみ》のも動《うご》いてないでしょ？
あゆみ
ああ…しかも元太《げんた》のとはかなり離《はな》れているな…
なるほど？
つまり、この床《ゆか》は広範囲《こうはんい》に渡《わた》って…
スライドしたり傾《かたむ》いたりした形跡《けいせき》はなく…
床《ゆか》が抜《ぬ》けて本当《ほんとう》の床《ゆか》がせり上《あ》がったっていう江戸川君《えどがわくん》の仮説《かせつ》は的外《まとはず》れだったってわけね…
ハハ…

やるじゃないあなた達《たち》…
そ、そうか？
エヘヘ♥
ちょっと待《ま》ってください!!
え？
やっぱり変《へん》ですよ、この倉《くら》!!
何《なに》が変《へん》なんだよ？
なくなってるんです!!
光彦
そこに置《お》いたはずのボクのバッジが!!
ええ〜っ!?
ホントにここに置《お》いたのかよ？
ええ!
そこに立《た》て掛《か》けて置《お》いたのは間違《まちが》いありません!
光彦

その辺《へん》に転《ころ》がってんじゃねーのか？
探《さが》しましたけど、見《み》つかりませんでした！
——となると、この辺《へん》の床《ゆか》や壁《かべ》だけ動《うご》いて、その仕掛《しか》けのスキ間《ま》に入《はい》って隠《かく》れてしまったかもしくは…
この倉《くら》に潜《ひそ》む…
何者《なにもの》かが持《も》ち去《さ》ったか…
な、何者《なにもの》かって…
ま、まさか…
よ、妖怪《ようかい》さん!?
んなわけねーよ！
お化《ば》け話《ばなし》なんて、人《ひと》の恐怖心《きょうふしん》が生《う》み出《だ》す錯覚《さっかく》じゃなかったのか？
で、ですね…
まあ、とにかくこの倉《くら》に何《なに》かあるのは確《たし》かだぜ？
短時間《たんじかん》でお宝《たから》を出《だ》し入《い》れできる…
手品《てじな》のようなカラクリがな！
で、でもそんな仕掛《しか》けどこに…？
まず目《め》に付《つ》くのが…

出入《でい》り口《ぐち》の扉《とびら》の真上《まうえ》に備《そな》え付《つ》けてあるあの妙《みょう》な神棚《かみだな》…
内開《うちびら》きの扉《とびら》の上《うえ》なんかに取《と》り付《つ》けたら危《あぶ》ねーだろ？お供《そな》え物《もの》とかしてる時《とき》に誰《だれ》かが入《はい》って来《き》たら…
そ、そだね…
そして、その神棚《かみだな》より気《き》になってしょーがないのが…
神棚《かみだな》の真向《まむ》かいの壁《かべ》に埋《う》め込《こ》まれた…
あのソロバンだ!!

何《なん》だろーな
これ…
倉《くら》に入《い》れた
お宝《たから》の数《かず》を
勘定《かんじょう》して
たんじゃ…
だとしたら
横《よこ》に寝《ね》かせてあるはずよ！
縦《たて》だと、いくら計算《けいさん》して
ソロバンの珠《たま》を動《うご》かしても
下《した》に落《お》ちてしまうもの…
いや、
珠《たま》の後《うし》ろから
棒《ぼう》が出《で》ていて
その後《うし》ろの溝《みぞ》に
入《はい》ってる…
元太《げんた》！背中《せなか》を
貸《か》してくれ！
お、
おう！
多分《たぶん》、この珠《たま》の
どれかを上《うえ》に
動《うご》かすと…
カチ
ゴッ
な、何《なに》か音《おと》が
しましたね…
コナン君《くん》、
もっと動《うご》かして
みて！
あ、
ああ…
んじゃ、今《いま》
動《うご》かした珠《たま》の
すぐ下《した》の珠《たま》を
上《うえ》に…
カコ

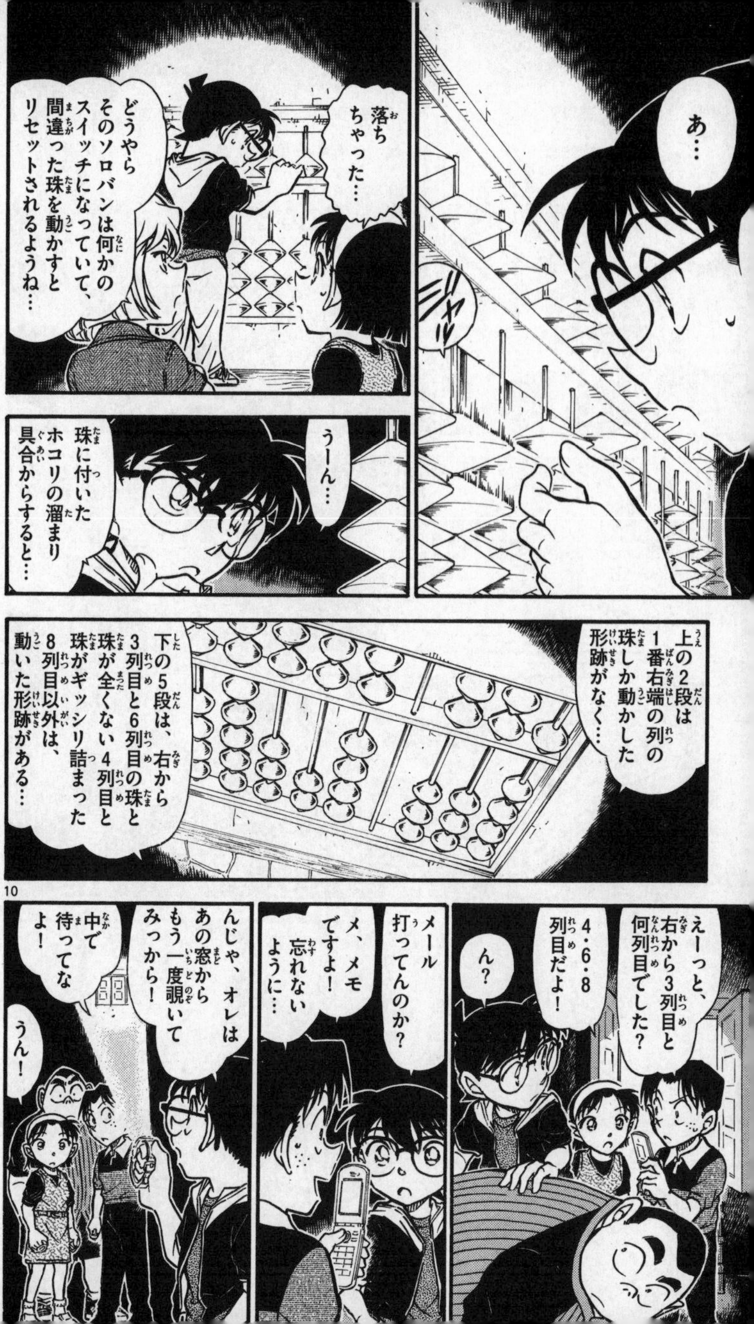
あ…
ジャッ
落《お》ちちゃった…
どうやらそのソロバンは何《なに》かのスイッチになっていて、間違《まちが》った珠《たま》を動《うご》かすとリセットされるようね…
うーん…
珠《たま》に付《つ》いたホコリの溜《た》まり具合《ぐあい》からすると…
上《うえ》の2段《だん》は1番《ばん》右端《みぎはし》の列《れつ》の珠《たま》しか動《うご》かした形跡《けいせき》がなく…
下《した》の5段《だん》は、右《みぎ》から3列目《れつめ》と6列目《れつめ》の珠《たま》と珠《たま》が全《まった》くない4列目《れつめ》と珠《たま》がギッシリ詰《つ》まった8列目《れつめ》以外《いがい》は、動《うご》いた形跡《けいせき》がある…
えーっと、右《みぎ》から3列目《れつめ》と何列目《なんれつめ》でした？
4・6・8列目《れつめ》だよ！
ん？
メール打《う》ってんのか？
メ、メモですよ！忘《わす》れないように…
んじゃ、オレはあの窓《まど》からもう一度《いちど》覗《のぞ》いてみっから！
中《なか》で待《ま》ってなよ！
うん！
10

コレ！倉《くら》はまだ調《しら》べ終《お》わらんのか？
う、うん…
ん？
扉《とびら》に妙《みょう》な切《き》れ目《め》が入《はい》ってる…
それにこの階段《かいだん》…
おい、早《はや》く見《み》て来《こ》いよ！
〝捜査《そうさ》は迅速《じんそく》に〟が基本《きほん》ですよ！
お、おう！
くそっ！小林先生《こばやしせんせい》だな？
パピポ
タタ…
あいつらに入《い》れ知恵《ぢえ》してんのは！
はぁ？
私《わたし》が子供達《こどもたち》に電話《でんわ》？

そんな暇《ひま》ないわよ！職員会議中《しょくいんかいぎちゅう》で…
――っていうか例《れい》の倉《くら》に行《い》ってるんでしょ？
場所《ばしょ》を教《おし》えなさい！先生《せんせい》も後《あと》で行《い》くから!!
ピッ
違《ちが》ったか…
…となると残《のこ》るは…
パピポ

ああ、電話《でんわ》ならあったよ…
哀君《あいくん》から！
なんでも、もののけ倉《ぐら》をこれからみんなで調《しら》べるとか言《い》っておったが…
おい、とぼけんな！電話《でんわ》したろ？光彦達《みつひこたち》に…
しとりゃせんよ！今日《きょう》は遅《おそ》くなると哀君《あいくん》が言《い》うから、時間《じかん》のかかるビーフシチューを作《つく》っておるんじゃからのォ!!
ビーフシチュー？博士《はかせ》、そんなの作《つく》れたっけ？
タマネギ、そろそろいい感《かん》じですよ！
おお、そうか！
お、おい…そこに昴《すばる》さんもいるのか？
ああ！哀君《あいくん》のいないスキに作《つく》りに来《き》てもらったんじゃ！
彼《かれ》の料理《りょうり》のウデはなかなかじゃからな！
昴《すばる》さん…タマネギ炒《いた》めながら電話《でんわ》やメールしてねえよな？
当《あ》たり前《まえ》じゃ！目《め》を離《はな》したらコゲてしまうじゃろ！
じゃあ、誰《だれ》なんだ？
あいつらに助言《じょげん》してるのは!?

パカ
あ、コナン君《くん》！
ウーン…
ど、どうですか？さっきと比《くら》べて倉《くら》の中《なか》の様子《ようす》は？
さっきと変《か》わらねぇな…
違《ちが》うのはお宝《たから》があるかないかぐらいで…
ん？
なんか床《ゆか》が若干遠《じゃっかんとお》くなっているような…
と、遠《とお》いんですか？

そんなわけないでしょ？倉《くら》が成長《せいちょう》してるわけじゃあるまいし…
カン
ん？何《なに》か落《お》ちたぞ！
壁際《かべぎわ》の方《ほう》だったような…
あ！

探偵《たんてい》バッジ！
これ、光彦君《みつひこくん》のだよ！
ええ!?
い、いったいどこから？
や、やっぱり…
やっぱり何《なに》かいるんだよ!!
天井《てんじょう》に化《ば》け物《もん》が!!
そいつが光彦《みつひこ》のバッジを拾《ひろ》って、今《いま》放《ほう》り投《な》げたんだよ！
ウソ〜!!
天井《てんじょう》に化《ば》け物《もん》？
んなバカな…

え？
ま…
まさか!?
ねぇ、もう出《て》ようよこの倉《くら》…
ああ…気味悪《きみわる》いよ…
でも…
？
あ…
電話《でんわ》！
も、もしかして…
ピ

受信メール
題名:わかったで
おーい！もうそろそろ倉《くら》から出《で》んと陽《ひ》が暮《く》れるぞー！
ねぇ！
この倉《くら》が建《た》てられたのって幕末《ばくまつ》の頃《ころ》だって言《い》ってたよね？
もしかして建《た》てたのって…
カラクリ師《し》の三水吉右衛門《さみずきちえもん》じゃない？
あ、ああそうじゃが…
だったら呼《よ》んだ方《ほう》がいいと思《おも》うよ…
捜査《そうさ》3課《か》の…
刑事《けいじ》さんを…

FILE《ファイル》.7 倉《くら》の秘《ひ》密《みつ》

何《なん》だ、君達《きみたち》だったか…
我々《われわれ》警察《けいさつ》を呼《よ》んだのは…
POLICE
久《ひさ》しぶりだな…雛人形《ひなにんぎょう》の事件《じけん》以来《いらい》か…
そうだね百瀬《ももせ》警部《けいぶ》!
それで?本当《ほんとう》なのか逃亡中《とうぼうちゅう》の犯人《はんにん》を見《み》つけたかもしれないっていうのは?
うん!実《じつ》はね…
窃盗犯《せっとうはん》ですよ!!
え?

2

現在《げんざい》、この近辺《きんぺん》の宝石店《ほうせきてん》や古美術品店《アンティークショップ》を荒《あ》らし回《まわ》っているあの犯人《はんにん》です!!
そいつがいるんだよ、この倉《くら》ん中《なか》に!
お宝《たから》をいーっぱい貯《た》め込《こ》んでね!!
ギィ
この倉《くら》の中《なか》にって…
中《なか》には人《ひと》どころか、お宝《たから》なんて何《なに》もないじゃないか!
まず注目《ちゅうもく》するのは、入《い》り口《ぐち》のこの階段《かいだん》です!
え?
4段《だん》ですよね?
あ、ああ…
でもさー中《なか》の階段《かいだん》は…

5段《だん》だよ？
た…
確《たし》かに…
それにさー入《はい》るトコの階段《かいだん》より1段《だん》1段《だん》の高《たか》さが高《たか》いと思《おも》わない？
そ、そうだな…
なるほど…だから、あなたが最初《さいしょ》にこの倉《くら》に入《はい》った時《とき》コケたのね…
あ、ああ…
入《い》り口《ぐち》の階段《かいだん》と同《おな》じ深《ふか》さだと思《おも》ったからよ…
しかし、それが何《なん》だっていうんだ？
わかりませんか？
表《おもて》の階段《かいだん》と比《くら》べて段《だん》の数《かず》が多《おお》くて、しかも段差《だんさ》がかなりついてるという事《こと》は…
その分《ぶん》、中《なか》は地面《じめん》より大分《だいぶ》深《ふか》くなっているはずです！
だーかーらー…
確《たし》かに深《ふか》くはなっているようだが…

深《ふか》いだけで、人《ひと》が隠《かく》れたり物《もの》を隠《かく》したりする場所《ばしょ》はどこにもないだろ？
まさか、床《ゆか》が抜《ぬ》けるわけじゃあるまいし…
ん？
何《なん》だこりゃ？
あゆみ
ボク達《たち》がここに最初《さいしょ》に入《はい》った時《とき》に印《しるし》をつけて置《お》いたバッジです！
その時《とき》、倉《くら》の中《なか》は空《から》っぽだったけど…
その後《あと》　1回《かい》出《で》てあの窓《まど》からコナン君《くん》が覗《のぞ》いたら、お宝《たから》がいーっぱい置《お》いてあったんだよ！
ホー…
だが、あの窓《まど》は天井《てんじょう》から約《やく》２ｍ《メートル》…
さっき外《そと》から見《み》たあの窓《まど》も屋根《やね》から約《やく》２ｍ《メートル》…
天井《てんじょう》には何《なに》もなさそうだし…
君達《きみたち》のバッジも動《うご》いた様子《ようす》がないって事《こと》は、床《ゆか》にも何《なに》も…
そう思《おも》わせるのがこの倉《くら》のトリックだったんです！
ト、トリック？
元太《げんた》君《くん》、準備《じゅんび》いい？
オウ！今《いま》　開《あ》けるぞ！

何《なに》!?
ま…
窓《まど》の上《うえ》に窓《まど》!?
おい!本当《ほんとう》に外《そと》に付《つ》いてたあの窓《まど》を開《あ》けてるのか?
ああ!木《き》に登《のぼ》って開《あ》けたぞ!
でも、変《へん》じゃないか?
さっきは確《たし》かに下《した》の窓《まど》の隙間《すきま》から光《ひかり》が漏《も》れて…
あれ?
今《いま》は光《ひかり》が漏《も》れてないな…
多分《たぶん》、外側《そとがわ》の窓《まど》の下《した》の板《いた》の部分《ぶぶん》に切《き》り込《こ》みを入《い》れて倉《くら》の中《なか》に光《ひかり》が漏《も》れるようにして…
その切《き》り込《こ》みに合《あ》わせて内側《うちがわ》に窓《まど》を付《つ》け、本物《ほんもの》の窓《まど》のように見《み》せかけていたんですよ!

今《いま》 光《ひかり》が漏《も》れていないのは、窓《まど》を開《あ》けたら壁《かべ》の中《なか》で板《いた》か何《なに》かがスライドして切《き》り込《こ》みの穴《あな》をふさぐ仕《し》掛《か》けを施《ほどこ》してあるからでしょう！
だ、だがなぁ…
今《いま》みたいにライトで照《て》らして窓《まど》を開《あ》けたら…
こんな仕《し》掛《か》けバレて…
確《たし》かに、この倉《くら》が現代《げんだい》に建《た》てられたのなら陳腐《ちんぷ》な仕《し》掛《か》けでしょうけど…
これが建《た》てられたのは幕末《ばくまつ》…
遠《とお》くをくっきり照《て》らす事《こと》ができる便利《べんり》な懐中電灯《かいちゅうでんとう》がない時代《じだい》なら、最高《さいこう》のフェイクなんじゃないかしら？
一応《いちおう》 天井《てんじょう》に近《ちか》い入《い》り口《ぐち》の上《うえ》には目隠《めかく》しがしてあるようだし…
目隠《めかく》し？
あの神棚《かみだな》です！入《い》り口《ぐち》の真上《まうえ》に付《つ》けて天井《てんじょう》を見上《みあ》げられないようにしてあります！
入《はい》る前《まえ》の屋根《やね》の高《たか》さと入《はい》った後《あと》の天井《てんじょう》を見比《みくら》べられて…
明《あき》らかに天井《てんじょう》の方《ほう》が低《ひく》いと気《き》づかれたら、この仕《し》掛《か》けが台無《だいな》しになりますからね…
じゃあ、床《ゆか》が地面《じめん》より深《ふか》くなっているのも天井《てんじょう》を低《ひく》く見《み》せないためのトリックか…
そうです！
つまり、この倉《くら》は何《なに》もないように見《み》えて…

実《じつ》は天井《てんじょう》には謎《なぞ》の空間《くうかん》が…
存在《そんざい》してるって事《こと》ですよ!!
た、確《たし》かにそうなるが…
どうやってその天井裏《てんじょううら》に登《のぼ》るんだ?
登《のぼ》るんじゃないもん!
え?
言《い》いましたよね?最初《さいしょ》に入《はい》った時《とき》に印《しるし》を付《つ》けてバッジを床《ゆか》に置《お》いたって…
その後《あと》 ここに入《はい》った時《とき》、歩美《あゆみ》ちゃんと元太君《げんたくん》のバッジは動《うご》いてなかったんですが…
光彦
ボクが壁際《かべぎわ》に立《た》て掛《か》けてたバッジだけなくなっていたんです…
なくなってた?
うん!
しばらくした後《あと》で上《うえ》から落《お》ちてきたの!
恐《おそ》らく、立《た》て掛《か》けておいたバッジの真上《まうえ》の天井《てんじょう》の板《いた》にバッジが刺《さ》さり…
しばらく宙《ちゅう》ぶらりんになった後《あと》、自然《しぜん》に抜《ぬ》けて落《お》ちたんでしょう…
て、天井《てんじょう》の板《いた》にバッジが刺《さ》さったって事《こと》は…
まさか…
ええ…
コナン君《くん》があの窓《まど》から覗《のぞ》いた時《とき》、床一面《ゆかいちめん》にお宝《たから》が置《お》かれてた事《こと》を踏《ふ》まえると…

あの天井《てんじょう》が上下《じょうげ》する事《こと》は…
まず間違《まちが》いないと思《おも》います!
なるほど…遠隔操作《えんかくそうさ》のリモコンなんてない時代《じだい》に建《た》てられた倉《くら》の仕掛《しか》けが動《うご》いたとなると、誰《だれ》かがここにいたはず!
でも、その姿《すがた》が見当《みあ》たらず倉《くら》から出《で》た形跡《けいせき》もないなら、まだ あの天井《てんじょう》の謎《なぞ》の空間《くうかん》にいるとしか考《かんが》えられないわね…
ああ! そいつがこんな天井裏《てんじょううら》に隠《かく》れなきゃいけない奴《やつ》でよォ…
お宝《たから》に囲《かこ》まれてるんなら…
今《いま》、巷《ちまた》を騒《さわ》がせてる窃盗犯《せっとうはん》の可能性《かのうせい》が高《たか》いってわけですよ!
どう?合《あ》ってるコナン君《くん》?
ああ、正解《せいかい》だよ!
スゲーなオメーら…
パチ
パチ
やったァー!!!
んじゃ、天井《てんじょう》の動《うご》かし方《かた》もわかったのか?
それは、多分《たぶん》あのソロバンの珠《たま》を…
珠《たま》をどーすんだ?
そ、それは…
その…
ん?

直《じか》に見《み》てみーひんとよーわからん…
え?
あ…
………
そかそか、見《み》てみーひんとよーわからんか…
あ、いえ…
ねえ、警部《けいぶ》さん!連《つ》れて来《き》たお巡《まわ》りさんいるよね?
あ、ああ…
じゃあ、倉《くら》の外《そと》で待機《たいき》させてて!
元太《げんた》はその窓《まど》から首《くび》引《ひ》っ込《こ》めてろ!
お、おう!
歩美《あゆみ》ちゃんと光彦《みつひこ》と灰原《はいばら》は、倉《くら》の外《そと》でこれから来《く》るお巡《まわ》りさんの後《うし》ろに隠《かく》れてろ!
う、うん…
とりあえず警察官《けいさつかん》2人《り》を呼《よ》んだが…
じゃあ、後《あと》は天井《てんじょう》を降《お》ろすだけ…
ピッ

このソロバンの珠《たま》を動《うご》かしてね！
だが、どれをどう動《うご》かせば…
まず目《め》をひくのが珠《たま》がギッシリ詰《つ》まったど真《ま》ん中《なか》の列《れつ》…
動《うご》かそうにも動《うご》かせないって事《こと》は、真《ま》ん中《なか》で区切《くぎ》って右《みぎ》と左《ひだり》で何《なに》かを表《あら》わせばいいって事《こと》だよね？
何《なに》かって？
図形《ずけい》とか数字《すうじ》とかひらがなとかカタカナとか…
漢字《かんじ》とか…
ソロバンの左側《ひだりがわ》の字《じ》はすぐわかるよね？
左端《ひだりはし》から7列目《れつめ》までの1番下《ばんした》の珠《たま》を珠《たま》1つ分《ぶん》上《あ》げて、さらに左《ひだり》から3・4・5列目《れつめ》の下《した》から3つ目《め》の珠《たま》を上《うえ》に上《あ》げれば…
三《さん》だ！
珠《たま》のない所《ところ》が漢字《かんじ》の「三《さん》」に見《み》える！
そして右側《みぎがわ》！
真《ま》ん中《なか》に珠《たま》が1つもない列《れつ》があるって事《こと》は…
真《ま》ん中《なか》に縦棒《たてぼう》が入《はい》る漢字《かんじ》だって事《こと》…
それを踏《ふ》まえて…一番右端《いちばんみぎはし》の列《れつ》の下《した》から2つ目《め》の珠《たま》と、右《みぎ》から2列目《れつめ》の下《した》から3つ目《め》の珠《たま》と…
右《みぎ》から5列目《れつめ》の一番下《いちばんした》の珠《たま》と、右《みぎ》から7列目《れつめ》の下《した》から2つ目《め》の珠《たま》をそれぞれ珠《たま》1つ分《ぶん》上《うえ》に持《も》ち上げると…

み、「水《みず》」？
右側《みぎがわ》の文字《もじ》は「水《みず》」か!?
三水《さみず》…
三水《さみず》吉右衛門《きちえもん》ね！
さ、三水《さみず》吉右衛門《きちえもん》？
幕末《ばくまつ》にその名《な》を轟《とどろ》かせたカラクリ師《し》だよ！
けど、何《なに》も動《うご》かねえじゃんか！
まだ「水《みず》」の字《じ》が完成《かんせい》してねーんだよ！
上《うえ》の段《だん》の一番右端《いちばんみぎはし》の珠《たま》を上《あ》げてみて！
上《うえ》の段《だん》で動《うご》かした形跡《けいせき》があるのはその珠《たま》だけだから！
お！
カチ
「水《みず》」になった…

13

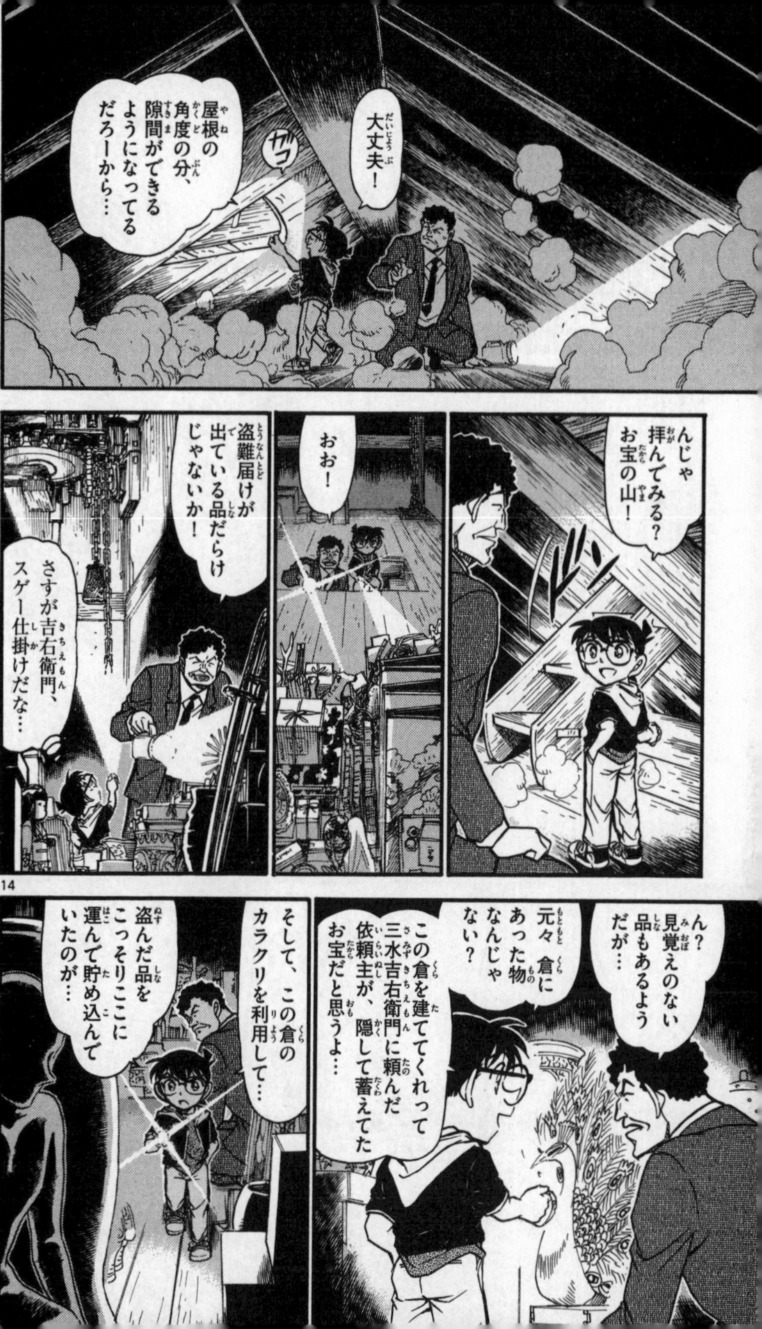
大丈夫《だいじょうぶ》！
ガコ
屋根《やね》の角度《かくど》の分《ぶん》、隙間《すきま》ができるようになってるだろーから…
んじゃ拝《おが》んでみる？お宝《たから》の山《やま》！
おお！
盗難届《とうなんとど》けが出《で》ている品《しな》だらけじゃないか！
さすが吉右衛門《きちえもん》、スゲー仕掛《しか》けだな…
ん？見覚《みおぼ》えのない品《しな》もあるようだが…
元々《もともと》倉《くら》にあった物《もの》なんじゃない？
この倉《くら》を建《た》ててくれって三水吉右衛門《さみずきちえもん》に頼《たの》んだ依頼主《いらいぬし》が、隠《かく》して蓄《たくわ》えてたお宝《たから》だと思《おも》うよ…
そして、この倉《くら》のカラクリを利用《りよう》して…
盗《ぬす》んだ品《しな》をこっそりここに運《はこ》んで貯《た》め込《こ》んでいたのが…

この泥棒《どろぼう》さんってわけさ！
なるほど…
子供達《こどもたち》が倉《くら》から出《で》た後《あと》、このレバーで天井《てんじょう》を降《お》ろしてここから出《で》ようとしたが、窓《まど》から覗《のぞ》かれて慌《あわ》ててまた天井《てんじょう》を上《あ》げたんだな…
おい、ボウズ！気《き》をつけろよ！
まだ他《ほか》に仲間《なかま》がいるかも…
いないよ！足跡《あしあと》は1種類《しゅるい》だったから！
しかし、どーやってここから出《で》るんだ？天井《てんじょう》が降《お》りたせいで扉《とびら》が半分《はんぶん》ふさがっているじゃないか…
ホラ！降《お》りて来《き》た床《ゆか》と扉《とびら》の境目《さかいめ》にスジが入《はい》ってるでしょ？
だから多分《たぶん》…
この扉《とびら》のどこかをいじると…
カコン
あ、コナン君《くん》！
バタン
ああっ!?お前《まえ》は前《まえ》に庭師《にわし》として雇《やと》っていた…
その時《とき》にこの倉《くら》の秘密《ひみつ》を知《し》ってしまったってわけか…
それで？どうでした？
わたし達《たち》の推理《すいり》！
参《まい》ったか？
上出来《じょうでき》だったよ…

服部《はっとり》にしてはな…
スマンスマン…
用《よう》があって探偵事務所《たんていじむしょ》に行《い》ったんやけど、このガキ連中《れんちゅう》が「たまにはお前《まえ》に一泡吹《ひとあわふ》かせたい」ちゅうとったからちょっと知恵《ちえ》貸《か》したったんや…
ハハ…
けど、アイツら…よくお前《まえ》の言《い》う事《こと》聞《き》いたな…
この写《しゃ》メ見《み》せたさかい…
オレはお前《まえ》の探偵《たんてい》の師匠《ししょう》やってのォ！
おい、これって確《たし》か前《まえ》にオメーがふざけて撮《と》った…
おい工藤《くどう》！何《なん》か落《お》ちてんて…
ん？
でも、コナン君《くん》の参《まい》ったって顔《かお》見《み》られなかったね…
だよな？
残念《ざんねん》です…
他人頼《たにんだの》みじゃダメって事《こと》！
せやせや！
望《のぞ》みを叶《かな》えたいんやったら、自分《じぶん》で努力《どりょく》せなアカンっちゅうこっちゃ！
お前《まえ》が言《い》うな…

FILE《ファイル》.8 お守《まも》り奪還作戦《だっかんさくせん》！

え？
人捜《ひとさが》し？
毛利探偵事務所
人捜《ひとさが》しでわざわざ東京《とうきょう》に来《き》たっていうのか？
ああ…そうや！
捜《さが》してんのはこの国末照明《くにすえてるあき》っちゅう…
帝丹大学《ていたんだいがく》の2年生《ねんせい》や！
こいつの実家《じっか》が和葉《かずは》の家《いえ》のお隣《となり》さんらしゅうてのォ…
え？
そうなの？
う、うん…
何《なん》でその人《ひと》捜《さが》してるの？
実《じつ》は、この人《ひと》テニスやってんねんけど…

この国末《くにすえ》さんがこの前《まえ》の連休《れんきゅう》に大阪帰《おおさかかえ》って来《き》はった時《とき》に…
え？お守《まも》り？
ああ！
今度《こんど》あるテニスの大会《たいかい》に勝《か》てるように作《つく》ってくれへんか？
そんなんお母《かあ》さんに頼《たの》んだらええんとちゃいます？
和葉《かずは》ちゃんのが欲《ほ》しいんや！
和葉《かずは》ちゃんのお守《まも》り、よー効《き》くっちゅう噂《うわさ》やったし…
今度《こんど》の大会《たいかい》絶対《ぜったい》負《ま》けとーないねん！
な！頼《たの》む！この通《とお》りや！
で？そのお守《まも》りをそいつに渡《わた》しそびれたとか？
あ、いや…渡《わた》すには渡《わた》したんやけど…
間違《まちご》うてしもたんや…
このアホがな!!
何《なん》やと？
ま、間違《まちが》えたって…？

和葉《かずは》が通《かよ》ってる合気道場《あいきどうじょう》の前《まえ》にそいつがおって、道場《どうじょう》ん中《なか》 ガン見《み》しとってなァ…
「チカンや！とっちめたろ」思《おも》たら…
ホー…和葉《かずは》にお守《まも》りを…
ああ…今日《きょう》渡《わた》してもらう約束《やくそく》してたんやけど…
そら当分《とうぶん》無理《むり》やな！和葉《かずは》も合気《あいき》の昇段審査《しょうだんしんさ》が近《ちか》ォて、今日《きょう》は稽古《けいこ》で遅《おそ》なる言《ゆ》うてたし…
せやから、和葉《かずは》のオカンに頼《たの》まれてこの水筒《すいとう》持《も》って来《き》たったんや！
前《まえ》にあのアホ、稽古《けいこ》し過《す》ぎて脱水症状《だっすいしょうじょう》起《お》こして倒《たお》れた事《こと》あったからのォ…
けど困《こま》ったなァ…ぼちぼち帰《かえ》りの新幹線《しんかんせん》に乗《の》らなアカン時間《じかん》やし…
ほんならオレが取《と》って来《き》たるわ！
渡《わた》すつもりやったんなら鞄《かばん》に入れてるやろ！
ダダ…
あ、ああ…
おー！あったあった！
女子更衣室
これやな！

——って…その御守《まも》り、もしかして和葉《かずは》ちゃんが大切《たいせつ》にしてた…
そうや！平次《へいじ》にも作《つく》ったった手錠《てじょう》の鎖《くさり》のカケラが入《はい》ったお守《まも》りやねん！
それをこのアホが間違《まちご》うて渡《わた》してもーたんや！
しゃーないやろ？どんなお守《まも》りか聞《き》いてへんかったし…
聞《き》かんでもわかる！人《ひと》にあげるお守《まも》りを自分《じぶん》の鞄《かばん》の取《と》っ手《て》につけるわけないやろ！
ヤイヤイ言《ゆ》うなや！それもお前《まえ》が作《つく》ったお守《まも》りやんけ！大《たい》した御利益《ごりやく》もないやろーし…
あんた何《なに》言《ゆ》うてんの!?アタシはいっつも持《も》ってたから何《なに》も起《お》きへんかったけど…
あんたがあのお守《まも》りコナン君《くん》に貸《か》した時《とき》、拳銃《けんじゅう》で撃《う》たれて大変《たいへん》やったやんか!!
まあ、あのお守《まも》りのお陰《かげ》で…
オレは包丁《ほうちょう》で刺《さ》し殺《ころ》されるのを免《まぬが》れたんだけどな…
海《うみ》に落《お》ちた時《とき》もそうや！あのお守《まも》りの御利益《ごりやく》で助《たす》かったんとちゃうのん？
あのお守《まも》りのせいで海《うみ》に落《お》ちたかもしれへんやないか…
とにかく、お守《まも》りなくしたアタシに何《なん》かあったら…平次《へいじ》！一生恨《いっしょううら》んだるさかいな!!
せやから、オレ1人《り》でこいつ見《み》つけてお守《まも》り取《と》り戻《もど》したるっちゅうたのに…

何《なん》でお前《まえ》ついて来《き》てねん？
え？
せ、せやから…
それは…その…
まーまー！
明日《あした》みんなでその人《ひと》捜《さが》せばいいじゃない！
けど、何《なん》で捜《さが》さねーといけねぇんだ？
そいつの大学《だいがく》も住《す》んでる家《いえ》もわかってるだろーに…
そ、それが…
数日前《すうじつまえ》から全然連絡《ぜんぜんれんらく》がとれへんねん！
大学《だいがく》も休《やす》んどるみたいやし…しばらくアパートにも帰《かえ》ってへんっちゅう話《はなし》やし…
いわゆる行方不明《ゆくえふめい》ってやつか…
うん…
変《へん》な事件《じけん》に巻《ま》き込《こ》まれてなきゃええんやけど…
まあ、明日《あした》お前《まえ》らでそいつの大学《だいがく》に行《い》ってみるんだな！

——帝丹大学《ていたんだいがく》——
ああ 国末《くにすえ》か…
帝丹大学 テニス部
そういやぁ最近《さいきん》姿《すがた》見《み》てないなぁ…
それ…
何《なん》でか聞《き》いてへんか?
ケガだよケガ!
アイツ、大会前《たいかいまえ》の練習中《れんしゅうちゅう》に骨折《こっせつ》しちまってよ…
こ、骨折《こっせつ》!?
気合《きあ》い入《い》れ過《す》ぎてやってもうたんとちゃう?
その逆《ぎゃく》だよ!ボーッとして集中力《しゅうちゅうりょく》を欠《か》いてたというか…
連休前《れんきゅうまえ》はあんなに張《は》り切《き》っていたのにな…
ホー…
じゃあ、その人《ひと》入院《にゅういん》してるの?
いや、折《お》ったのは左手首《ひだりてくび》だよ!
腕吊《うでつ》ってて自炊《じすい》も無理《むり》だし、気分《きぶん》もヘコんでるから…
しばらく大学《だいがく》の友人《ゆうじん》の部屋《へや》で厄介《やっかい》になるとか言《い》ってたよ…

ああ…国末《くにすえ》なら俺《おれ》の部屋《へや》に泊《と》めてやってるよ…
お前《まえ》が居《い》たら女《おんな》を連《つ》れ込《こ》めねえから早《はや》く出《で》てけって言《い》ってんだけどな…
ほんなら、国末《くにすえ》さん今《いま》部屋《へや》に居《い》てはるんですか?
いや、1日中《にちじゅう》部屋《へや》にこもってても仕方《しかた》ないから気晴《きば》らしにどっかに行《い》って来《こ》いよって言《い》ったら…
昼間《ひるま》出《で》かけてったよ…
どこにや?
さぁ…アイツスポーツ好《ず》きだからなァ…
何《なに》かの試合《しあい》を観《み》に行《い》ったんじゃないか?
さっき興奮《こうふん》して電話《でんわ》してきたし…
電話《でんわ》?
「最高《さいこう》だ!俺《おれ》にもツキが戻《もど》った!
その証拠《しょうこ》をこれから見《み》せてやる」ってな!
これからって…
渋谷《しぶや》のスポーツバーに来《き》てくれって言《い》われたよ…
今夜《こんや》は飲《の》もうって…
アイツに会《あ》いに来《き》たんなら君《きみ》らも一緒《いっしょ》に行《い》く?
わ!
ええのん!
お願《ねが》いします!

それで
その…
国末《くにすえ》さん、
お守《まも》りの事《こと》…
何《なに》か言《ゆ》うて
はりました？
ああ…
地元《じもと》の女《おんな》の子《こ》に
作《つく》ってもらった
お守《まも》りなら、
いつも財布《さいふ》に
入《い》れてるって
言《い》ってたよ！
ホンマに？
じゃあ
すぐに返《かえ》して
もらえるね！
んじゃ、
仕度《したく》すっから
ちょっと
待《ま》ってて…
はーい!!
なんや…
えらい事件《じけん》に
巻《ま》き込《こ》まれとる
思《おも》とったのに…
あっけ
なかったな…
でも、
ちょっと
残念《ざんねん》だね！
すぐに見《み》つかっ
ちゃって…
え？
服部君《はっとりくん》と
一緒《いっしょ》に居《い》たいから
ついて来《き》たん
でしょ？
ちゃう
ちゃう！
え？
違《ちが》うの？
あ、
いや…
それも
ちょっとは
あったけど…
ホンマの
理由《りゆう》は…
お守《まも》りの
中《なか》になァ…

え〜!? 写真《しゃしん》を入《い》れてたァ!?
あん?
写真《しゃしん》がどないしたんや?
く、国末《くにすえ》さんのこの写真《しゃしん》!結構《けっこう》男前《おとこまえ》に写《うつ》ってるなァって…
しーしー!
平次《へいじ》1人《り》で行《い》かせてお守《まも》り取《と》り戻《もど》したら、中身《なかみ》確《たし》かめるやろ?
?
ホンマにアタシのお守《まも》りかどうか…
そしたらバレてまうやんか!
アタシが平次《へいじ》の写真《しゃしん》をこっそりお守《まも》りん中《なか》に入《い》れてた事《こと》が…
せやから、そーならんようについて来《き》たんや!アタシが確《たし》かめたら平次《へいじ》が見《み》んでもええし…
わかった!その人《ひと》が服部君《はっとりくん》にお守《まも》りを渡《わた》しそうになったら、何《なん》とか邪魔《じゃま》して和葉《かずは》ちゃんに預《あず》けるから!!
ありがとォ!
でも…

慌《あわ》てて服部君《はっとりくん》に渡《わた》しちゃうかも♥
えぇ〜!?
ウソウソ♥
もォー! 蘭《らん》ちゃんいけず言《ゆ》わんといて!
何《なに》はしゃいでんねん?
大事《だいじ》なお守《まも》りが戻《もど》って来《く》るから嬉《うれ》しいんじゃねえか?
こんなお守《まも》りのどこがええんじゃ…
………
お守《まも》りっていえばさー…
ん?
服部君《はっとりくん》のお守《まも》りに新一《しんいち》が触《さわ》った事《こと》あったっけ?
ホラ、服部君《はっとりくん》が死羅神様《しらがみさま》の事件《じけん》で本物《ほんもの》の新一《しんいち》かどうか確《たし》かめるために照合《しょうごう》したって言《い》ってたじゃない!
お守《まも》りに入《はい》ってた鎖《くさり》のカケラについてる新一《しんいち》の指紋《しもん》と、新一《しんいち》のフリしてた犯人《はんにん》の指紋《しもん》を…
でも、あの鎖《くさり》のカケラに触《さわ》ったのって…
ホラ、丁度《ちょうど》鎖《くさり》のカケラの輪《わ》に包丁《ほうちょう》の刃先《はさき》がはまって刺《さ》さんなかったんだ!
コナン君《くん》だよね?
きっと、どこかで新一君《しんいちくん》に貸《か》したんちゃう?
そうやないとおかしいやん!
だよね…

えーっと
確《たし》か…
この交差点《こうさてん》を
曲《ま》がった先《さき》に…
あった
あった!
あの
スポーツ
バーだよ!
ん?
SportsB
POLICE
パトカー
停《と》まってん
で…
ザワ
ザワ
あ、
高木刑事《たかぎけいじ》!
え?
コナン
君《くん》!
それに
服部君《はっとりくん》も…
何《なに》か
あったん
か?
傷害事件《しょうがいじけん》
だよ!
腕《うで》を
吊《つ》った男《おとこ》が
トイレで
殴《なぐ》られてて…
腕吊《うでつ》った
男《おとこ》って…

こいつやないやろな!?
そうそうこんな顔《かお》…
――って…
何《なん》で!?
せやったらオレらは関係者《かんけいしゃ》や!
ちょっと現場《げんば》見《み》せてもらうで!
ザワ
ザワ
ホー…
国末《くにすえ》さんはこの便器《べんき》に座《すわ》らされとったんやな?
ああ…

頭《あたま》から血《ち》を流《なが》してぐったりしてたらしいよ!
ほ、ほんで?
国末《くにすえ》さんは無事《ぶじ》なん!?
意識《いしき》不明《ふめい》の重体《じゅうたい》で病院《びょういん》に運《はこ》ばれたよ…
ひょっとしたら、傷害事件《しょうがいじけん》から殺人事件《さつじんじけん》になってしまうかも…
そ、そんな…
な、何《なん》で国末《くにすえ》が…
誰《だれ》に何《なん》で殴《なぐ》られたかはわかりませんけど…
殴《なぐ》られたのは夜《よる》の7時《じ》55分《ふん》から8時《じ》5分《ふん》までの10分間《ぶんかん》だそうだ…
えらい正確《せいかく》やな…
今日《きょう》は丁度《ちょうど》この店《みせ》の1周年《しゅうねん》で…
お客《きゃく》さん全員《ぜんいん》にクラッカーを渡《わた》して、8時《じ》ジャストに簡単《かんたん》なお祝《いわ》いをしたらしいんだ…

店員《てんいん》がクラッカーを渡《わた》し始《はじ》めたのは8時《じ》5分前《ふんまえ》…
カウンターで飲《の》んでたこの人《ひと》にも1周年《しゅうねん》の事《こと》を話《はな》して渡《わた》したんだけど…
そのままクラッカーをテーブルの上《うえ》においてトイレに立《た》ったそうだ…
すぐに戻《もど》って来《く》るって言《い》ってね…
ほんで、クラッカー鳴《な》らし終《お》わってしばらく経《た》っても戻《もど》って来《け》ーへんから様子《ようす》見《み》に行《い》ったら…
血塗《ちまみ》れのそいつがトイレで1人《り》でおるのを見《み》つけて、警察《けいさつ》に通報《つうほう》したんやな?

ああ…
クラッカーの音《おと》に混《ま》じって妙《みょう》な音《おと》や呻《うめ》き声《ごえ》がトイレからしたのも店員《てんいん》が聞《き》いてたらしいしね…
なら、何《なん》でその店員《てんいん》すぐトイレに行《い》かへんかったんや？
鳴《な》らし終《お》わったクラッカーの回収《かいしゅう》に忙《いそが》しかったみたいで…
じゃあ、その10分間《ぶんかん》に店《みせ》から出《で》てったお客《きゃく》さんはいたの？
いないはずだよ…8時前《じまえ》からレジが壊《こわ》れてて帰《かえ》るお客《きゃく》さんが詰《つ》まってたそうだから…
…ちゅう事《こと》は犯人《はんにん》はまだこん中《なか》に居《い》てるんやな？
ガチャ
ああ…だからこれから1人《り》1人《り》に話《はなし》を聞《き》いて…
そんな必要《ひつよう》あらへんで！
もしかしたら、一発《いっぱつ》で犯人《はんにん》がわかっちゃうかもしれないよ！
え？どうやって？
せやから…
まずはお客《きゃく》さんにね…
えー警視庁《けいしちょう》の高木《たかぎ》です！
ついさっき、この店《みせ》のトイレで傷害事件《しょうがいじけん》が発生《はっせい》した事《こと》はご存《ぞん》じですよね？
捜査《そうさ》に当《あ》たる前《まえ》に簡単《かんたん》な質問《しつもん》をしますので…
立《た》って目《め》を閉《と》じ、よーく聞《き》いてください！
ザワ
ザワ

本日《ほんじつ》 夜《よる》8時頃《じごろ》、この店《みせ》で簡単《かんたん》なお祝《いわ》いをしたそうですが…
そのお祝《いわ》いがあったという証拠《しょうこ》を、私《わたし》が3つ数《かぞ》えたら速《すみ》やかに私《わたし》の元《もと》へ持《も》って来《き》て見《み》せてください！
いいですかー？
1《いち》…
2《に》の…
3《さん》!!
え？
ちょっ…
な!?
ホー…3人《にん》か…
まあまあ絞《しぼ》れたってトコじゃねぇか？

FILE《ファイル》.9
最高《さいこう》の試合《しあい》

SportsBar
では…
立《た》ったままのあなた方《がた》3人《にん》に話《はな》をお聞《き》きしますので…
ちょっとこちらの方《ほう》へ…
は、話《はなし》って…
何《なん》で俺《おれ》ら3人《にん》だけなんだよ？
理由《りゆう》を教《おし》えてもらえますか？
この店《みせ》のトイレん中《なか》で国末《くにすえ》さんが殴《なぐ》られたのが夜《よる》8時《じ》頃《ごろ》…

丁度《ちょうど》その頃《ころ》、ここの店員《てんいん》が変《へん》な音《おと》と呻《うめ》き声《ごえ》がトイレからしたんを聞《き》いとって…
その10分後《ぶんご》に店員《てんいん》がトイレに様子《ようす》を見《み》に行《い》ったら、頭《あたま》から血《ち》ィ流《なが》した国末《くにすえ》さんを見《み》つけたらしいから、犯行《はんこう》があったんは8時《じ》で間違《まちが》いないで…
だから、何《なん》でそれで我々《われわれ》が…
さっき高木刑事《たかぎけいじ》が言《い》ったよね？
8時《じ》丁度《ちょうど》にこの店《みせ》で簡単《かんたん》なお祝《いわ》いをしたけど、その証拠《しょうこ》を見《み》せてくれって…
この店《みせ》の1周年《しゅうねん》をみんなでお祝《いわ》いした証拠《しょうこ》の品《しな》をね！
1周年《しゅうねん》？
ああ、クラッカー鳴《な》らしたんだろ？店員《てんいん》が配《くば》ってたから…
だから、もらったクラッカーを見《み》せようとしたけどテーブルの上《うえ》になくて…
あるわけないやろ？鳴《な》らしたすぐ後《あと》に店員《てんいん》が回収《かいしゅう》してしもたんやから…
え？
クラッカーを鳴《な》らしたお客《きゃく》さんなら回収《かいしゅう》されたのも知《し》ってるはずだよね？
せやから、床《ゆか》に落《お》ちたクラッカーの中身《なかみ》のテープや紙《かみ》キレを拾《ひろ》って見《み》せようとしたんやろ？
あ、ああ…
テープや紙《かみ》キレを拾《ひろ》うにはしゃがまなアカン…
ちゅう事《こと》はや…

立《た》ったまんまのあんたら3人《にん》は、8時《じ》丁度《ちょうど》にここでみんなとクラッカー鳴《な》らさへんかったのに…
何《なん》でか知《し》らんけど今《いま》ここにおる、怪《あや》しいお客《きゃく》さんやちゅうこっちゃ!
容疑者《ようぎしゃ》はこの3人《にん》で決《き》まりや!他《ほか》の客《きゃく》は一応《いちおう》名前《なまえ》と住所《じゅうしょ》聞《き》いたら帰《かえ》してしもてもかまへんで!
じゃあ、しゃがんだお客《きゃく》さん達《たち》の名前《なまえ》と住所《じゅうしょ》を…
はい!
ゾロ ゾロ
ああ…
あなた方《がた》3人《にん》はそのままテーブルで待機《たいき》を…
ねぇ?国末《くにすえ》さんが殴《なぐ》られた凶器《きょうき》って見《み》つかってるの?
ああ…
トイレの用具《ようぐ》入《い》れの中《なか》にあったモップだよ…
だから、多分《たぶん》計画的《けいかくてき》じゃなく衝動的《しょうどうてき》な犯行《はんこう》だと…
な、なあ…
ちょっと聞《き》いてええかなぁ?

4

国末《くにすえ》さん、お守《まも》り持《も》ってへんかった？
お財布《さいふ》ん中《なか》に入《い》れてはったと思《おも》うんやけど…
あ、ああ…
入《はい》ってたよお守《まも》りが1つ…
ホンマ？
それ、和葉《かずは》ちゃんのお守《まも》りなんです…返《かえ》してもらえますか？
あ、いや…一応《いちおう》証拠品《しょうこひん》だから詳《くわ》しく調《しら》べてからじゃないと…
ア、アカン!!調《しら》べられたら…
中《なか》に入《はい》ってる平次《へいじ》の写真《しゃしん》が見《み》つかってまう!!
御守り
アカン！調《しら》べんといて!!
？
コラ！
えーかげんにせぇよ!!
国末《くにすえ》さんは今《いま》殴《なぐ》られて、病院《びょういん》で生死《せいし》の間《はざま》をさ迷《まよ》ってんねんど!!
今《いま》はお守《まも》りなんかどーでもええやろ!!
そ、そやね…
お守《まも》りっていえば…
妙《みょう》なんだよな…
ん？
そのお守《まも》りが入《い》れてあった財布《さいふ》…
被害者《ひがいしゃ》のジーパンの右《みぎ》の後《うし》ろのポケットに入《はい》ってたんだけど…

そのポケットに被害者《ひがいしゃ》の携帯《けいたい》やタバコも入《はい》ってて…
ポケットがパンパンに膨《ふく》らんでいたんだよ…
同《おな》じポケットにそんなに色々《いろいろ》な物《もの》を入《い》れるかなぁって思《おも》ってね…
左腕《ひだりうで》吊《つ》ってたからとちゃうのん？
国末《くにすえ》さん、左手首《ひだりてくび》骨折《こっせつ》してはって右手《みぎて》しか使《つか》われへんかったやろうし…
そっか！だから、右側《みぎがわ》のポケットしか使《つか》えなかったんだね！
でもなぁ…上着《うわぎ》の右《みぎ》ポケットは空《から》だったんだけど…
………
なぁ？国末《くにすえ》さんが今日《きょう》の昼間《ひるま》何《なに》かの試合《しあい》観《み》に行ったんは確《たし》かやろな？
ああ…アイツ、昨夜《ゆうべ》ネット見《み》ながら「この試合《しあい》に決《き》めた」って言《い》ってたから…
ほんなら、あの3人《にん》に話《はな》聞《き》いたらすぐわかるかもしれんなぁ…
え？何《なん》でなん？
計画的《けいかくてき》な犯行《はんこう》やないっちゅう事《こと》は、犯人《はんにん》が国末《くにすえ》さんに恨《うら》み持《も》ったんは多分《たぶん》今日《きょう》…
国末《くにすえ》さんが観《み》たっちゅう試合《しあい》の会場《かいじょう》で何《なに》かあった可能性《かのうせい》が高《たか》いで…

それにや…国末《くにすえ》さんは試合《しあい》観《み》た後《あと》、友人《ゆうじん》のあんたに興奮《こうふん》して電話《でんわ》してきたんやろ？
あ、ああ…「最高《さいこう》だ！俺《おれ》にもツキが戻《もど》った！その証拠《しょうこ》をこれから見《み》せてやる」って…
それで、このスポーツバーで待《ま》ち合《あ》わせを…
ええ…国末《くにすえ》が8時頃《じごろ》ここに来《こ》いって…
つまりや…
国末《くにすえ》さんを殴《なぐ》った誰《だれ》かは国末《くにすえ》さんと同《おな》じく…
相当《そうとう》おもろい試合《しあい》を観《み》て来《き》たかもしれへんっちゅうこっちゃ！
えーっとまずは…
お名前《なまえ》と、なぜ8時頃《じごろ》自分《じぶん》の席《せき》に居《い》なかったかを聞《き》かせてください…
じゃあ、最初《さいしょ》は眼鏡《めがね》をかけたあなたから…
スポーツニュース
あ、はい…

名前《なまえ》は薩摩和雄《さつまかずお》…
私《わたし》がこの店《みせ》に来《き》たのは8時《じ》ちょっと過《す》ぎて、1周年《しゅうねん》のお祝《いわ》いをしていたなんて知《し》りませんでした…
薩摩和雄《さつまかずお》(51) 客《きゃく》
ホンマかー？
嘘《うそ》じゃないよ…店《みせ》に入《はい》ったらお客《きゃく》さん達《たち》が拍手《はくしゅ》とかして盛《も》り上《あ》がっていたから、何《なに》かあったとは思《おも》ったけど…
おじさん、この店《みせ》に来《き》たって事《こと》はスポーツ好《ず》きだよね？
あ、ああ！相撲《すもう》が好《す》きで今日《きょう》も観《み》て来《き》たよ！
あ！ホラあの一番《いちばん》！
上手投《うわてな》げー黒鵬《こくほう》の勝《か》ち!!
いやぁ…いい勝負《しょうぶ》だったけど…私《わたし》は負《ま》けた赤青龍《あかしょうりゅう》のファンだったから悔《くや》しかったがね…
そんで？その一番《いちばん》観《み》て喜《よろこ》んどった国末《くにすえ》さんに恨《うら》み持《も》ったんやな？
い、いやそんな事《こと》は…
国末《くにすえ》さんって相撲好《すもうず》きだったの？
さぁ…
相撲中継《すもうちゅうけい》は観《み》てた事《こと》はあったけど…

俺《おれ》は春藤健吾《はるふじけんご》…
春藤健吾《はるふじけんご》(44) 客《きゃく》
8時《じ》前《まえ》に電話《でんわ》がかかって来《き》てよ…
クラッカーとか鳴《な》らされて騒《さわ》がしくなりそうだったから、ちょっと店《みせ》の外《そと》に出《で》たんだよ…
その電話《でんわ》、誰《だれ》からやったんや？
知《し》らねーよ！何《なに》かの勧誘《かんゆう》でぐだぐだ長《なげ》ぇ説明《せつめい》始《はじ》めやがったから…怒鳴《どな》って切《き》っちまったよ！
んで、店《みせ》に戻《もど》ったら誰《だれ》かが殴《なぐ》られてるって騒《さわ》いでてよ…
店《みせ》のレジも壊《こわ》れてやがるから席《せき》にいたら、警察《けいさつ》が来《き》たってわけだ！
その電話《でんわ》の履歴《りれき》残《のこ》ってるか？
ああ…非通知《ひつうち》だったがな…
それで？あなた今日《きょう》何《なに》かの試合《しあい》を観《み》て来《き》たりとかは…
ビーチバレーだよ！
いやー接戦続《せっせんつづ》きで楽《たの》しかったよ！まあ、ポロリも期待《きたい》しちまったけどなァ！
ホー…ほんで選手《せんしゅ》をやらしい目《め》ェで見《み》とったあんたと国末《くにすえ》さんが喧嘩《けんか》になったんかい？
喧嘩《けんか》なんてしてねーよ！
国末《くにすえ》さんってビーチバレーは？
ああ…割《わ》りと好《す》きだったよ…

あ、僕《ぼく》久間卓哉《きゅうまたくや》といいます…
8時頃《じごろ》席《せき》にいなかったのは、タバコが切《き》れて外《そと》に買《か》いに行《い》ったのが丁度《ちょうど》その頃《ころ》だったからだと…
久間卓哉《きゅうまたくや》(26)
客《きゃく》
それで、タバコを買《か》って戻《もど》ったら騒《さわ》ぎになっていて警察《けいさつ》が来《き》たんですね？
は、はい…
ほんで？あんた今日《きょう》試合《しあい》は？
あ、ああ…観《み》て来《き》たよ…
東都《とうと》スタジアムの東京《とうきょう》スピリッツ対《たい》ビッグ大阪《おおさか》を！
サッカー観《み》てきたんだね！
ああ！1対《たい》2の、最後《さいご》までハラハラさせるいい試合《しあい》だったよ！
まあ、僕《ぼく》はビジターのビッグ大阪《おおさか》のファンだったから…
勝《か》ってグラウンドで抱《だ》き合《あ》うビッグの選手達《せんしゅたち》に肩身《かたみ》の狭《せま》い思《おも》いで拍手《はくしゅ》してたけどね…
もしも、国末《くにすえ》さんがそのサッカーの試合《しあい》を観《み》て感動《かんどう》したのならひいきチームは同《おな》じビッグ大阪《おおさか》のはず…
何《なに》か恨《うら》みを買《か》うような問題《もんだい》は起《お》きそうにないなぁ…
なぁ？国末《くにすえ》さん、サッカーは？
よくTV《テレビ》で観《み》てたけど…
特《とく》にどこのチームが好《す》きとかはなかったよ…

Sports Bar
ウーン…
一応《いちおう》 3人共《にんとも》 盛《も》り上《あ》がる試合《しあい》を観《み》て来《き》たようだけど…
国末《くにすえ》さんが今日《きょう》 何《なん》の試合《しあい》を観《み》に行《い》ったかがわからないと…
せやなぁ…
財布《さいふ》に何《なに》も入《はい》ってへんかったんか？
試合《しあい》のチケットの半券《はんけん》とか…
いや…お金《かね》とカード以外《いがい》はお守《まも》りしか…
では、続《つづ》いてプロ野球《やきゅう》！
プロ野球
まずはデーゲームで行《おこな》われた…
ひょっとして野球《やきゅう》ちゃう？
ホラ、ホンマは野球《やきゅう》観《み》に行《い》ったのに嘘《うそ》ついてんのとちゃうかなぁ？
そっか！犯人《はんにん》が球場《きゅうじょう》で国末《くにすえ》さんと何《なに》かあって恨《うら》みを持《も》ったんなら…
野球《やきゅう》を観《み》に行《い》ったなんて言《い》わないよね？
けどなぁ…野球《やきゅう》のデーゲームはこの試合《しあい》だけやけど、エラーがよー出《で》た凡戦《ぼんせん》で…
唯一《ゆいいつ》の救《すく》いは9回裏《かいうら》に出《で》たこの…

おい、ちょっと待《ま》てよ!!
え?
あ、いや…
お客《きゃく》さんもいなくなったし…テーブルの上《うえ》を片付《かたづ》けようかと…
勝手《かって》に下《さ》げないでくださいよ!ポップコーン、まだ残《のこ》ってるんですから…
んじゃ、俺《おれ》の食《た》べかけのホットドッグも温《あたた》め直《なお》してこっちに持《も》って来《き》てくれよ!
じゃあ、私《わたし》のビールも…
あ、はい…
えーっと、何《なん》の話《はなし》やった?
デーゲームやデーゲーム!
何《なん》で野球《やきゅう》ならデーゲームなん?この辺《へん》やったら横浜《よこはま》でもナイターやってたやんか!
アホ!国末《くにすえ》さんが「最高《さいこう》や!ツキが戻《もど》った!その証拠《しょうこ》見《み》せたる」っちゅう電話《でんわ》したんは夕方《ゆうがた》やぞ!
昼間《ひるま》やってた試合《しあい》に決《き》まってるやろ?
あ…
そらそうか…

しかもや、さっき
携帯《けいたい》で見《み》たら
このデーゲームの
スコアは1対《たい》5…
めっちゃエラー
出《だ》して負《ま》けとる
チームの選手《せんしゅ》が、
9回裏《かいうら》にやっと1本《ぽん》
ホームラン打《う》っただけ…
こんなショボい試合《しあい》に
「最高《さいこう》やー」なんて
言《ゆ》うわけないやろ？
1-5
まぁ、負《ま》けた
チームの事《こと》が嫌《きら》いで
ザマーミロっちゅう
気分《きぶん》やったら
話《はなし》は別《べつ》やけど…
いや、野球《やきゅう》に
好《す》きなチームも
嫌《きら》いなチームも
なかったよ…
とにかくや、昼間《ひるま》
この辺《へん》でやってたんは
この3人《にん》が言《ゆ》うてた…
相撲《すもう》と
ビーチバレーと
サッカーと…
さっきの
野球《やきゅう》と…
あとは
ゴルフしか
ないで…
ほんなら
ゴルフと
ちゃうのん？
確《たし》かに、その試合《しあい》も
最終《さいしゅう》ホールの大逆転《だいぎゃくてん》で
盛《も》り上《あ》がったらしいけど、
そのコース ここから
結構離《けっこうはな》れとってのぉ…
それ観《み》た後《あと》で
このスポーツバーに
8時《じ》までに来《こ》よう思《おも》たら、
かなりしんどいねん…

店員《てんいん》の話《はなし》やと、
1時間《じかん》ぐらい前《まえ》から
国末《くにすえ》さんはこの店《みせ》に
来《き》てたみたい
やし…
手掛《てが》かり
なしや
ねぇ…
うん…
これじゃあ誰《だれ》が
国末《くにすえ》さんを殴《なぐ》ったか
わからない…
いや…

犯人《はんにん》はもう…
わかってるで!!
お!
ウソ…
ホンマに?
わかってんなら、何《なん》で早《はよ》その事《こと》みんなに言《い》うて事件解決《じけんかいけつ》せーへんの!?
お守《まも》りが事件《じけん》と何《なに》も関係《かんけい》ないってわかったら、お守《まも》りを返《かえ》してくれますよね?
あ、ああ…
まあ…
さっきから何《なん》やねん? お守《まも》り、お守《まも》りって…
大《たい》して効《き》かへんやんけ! それ持《も》ってたのに、国末《くにすえ》さんは殴《なぐ》られたんやで?
あれはアタシだけに効《き》くお守《まも》りやもん!
ほんで!?
誰《だれ》なん犯人《はんにん》!?
わかってるんでしょ?
あ、でも…
まだ証拠《しょうこ》が…

え？
ないのん？
ねぇ…
あ、ああ…
証拠《しょうこ》っていえば、国末《くにすえ》が俺《おれ》に見《み》せてくれるはずだった証拠《しょうこ》って何《なん》だったんだろ？
そうですねぇ…
最高《さいこう》だったっていう試合《しあい》の証拠《しょうこ》で最初《さいしょ》に思《おも》いつくのは…
いいプレーをした選手《せんしゅ》を撮《と》った写《しゃ》メとかだけど…
被害者《ひがいしゃ》の携帯電話《けいたいでんわ》はカメラ機能《きのう》が付《つ》いてなかったし…
だったら、その試合《しあい》で活躍《かつやく》した有名選手《ゆうめいせんしゅ》にサインをもらったとか？
でもなぁ…
国末《くにすえ》はスポーツ好《ず》きではあったけど、サインをもらって感動《かんどう》するのは自分《じぶん》もやってるテニスの選手《せんしゅ》のサインぐらいで…
え？
右川翔《みぎかわしょう》、この最終《さいしゅう》18番《ばん》ホールでチップインイーグルを決《き》め…
見事《みごと》逆転優勝《ぎゃくてんゆうしょう》を飾《かざ》りました！

!!
そうか…そうやったんや…
せやから国末《くにすえ》さんは友人《ゆうじん》をこのスポーツバーに呼《よ》び出《だ》したんや…
その決定的《けっていてき》な証《あかし》を見《み》せるために…
まさか、それをあの人《ひと》に…
横取《よこど》りされてまうとも知《し》らずになァ…

FILE《ファイル》.10
意地悪《いじわる》

あのォ…
まだ何《なに》かあるんでしょうか?
そろそろ帰《かえ》りたいんですけど…もう10時《じ》過《す》ぎてますし…
知《し》ってる事《こと》はみんな話《はな》したしよォ…
さっき身体検査《しんたいけんさ》も受《う》けましたけど、何《なに》も出《で》て来《き》ませんでしたよね?
2
あ、でも国末《くにすえ》さんがこの店《みせ》のトイレで殴《なぐ》られた午後《ごご》8時頃《じごろ》にアリバイのないこの店《みせ》の客《きゃく》は、あなた達《たち》3人《にん》だけですので…
おいおい、証拠《しょうこ》もねえのにまだ引《ひ》き留《と》める気《き》かよ!?
そない帰《かえ》りたかったら帰《かえ》ってもかまへんで…
え?

もちろん…
犯人《はんにん》やない2人《り》は、やけどなァ…
ほんなら、ひょっとして証拠《しょうこ》わかったん?
ああ! 犯人《はんにん》もその証拠《しょうこ》もバッチリやで!
ホント?コナン君《くん》!
あ、うん…
そうみたいだよ、って…
どうしてボクに聞《き》くの? 聞《き》くなら平次兄《へいじにい》ちゃんでしょ?
あ、ホラ!
さっきコナン君《くん》も犯人《はんにん》わかったって言《い》ってたし…
だから、なんとなくコナン君《くん》も…
証拠《しょうこ》がわかってるような気《き》がして…
でも何《なん》で…
わかるに決《き》まってるよ!

だって、犯人《はんにん》の人《ひと》子供《こども》のボクにでもわかるような…
おかしな事《こと》言《い》ってたんだもん！
子供《こども》にもわかる…
おかしい事《こと》？
あの3人《にん》が今日《きょう》観《み》て来《き》たっちゅう、何《なん》かの試合《しあい》の感想《かんそう》や！
おかしな事《こと》言《ゆ》うとった奴《やつ》が1人《り》おったやろ!?
えーっと確《たし》か…
薩摩和雄《さつまかずお》さんが観《み》て来《き》たのは相撲《すもう》で…
いやぁ、いい勝負《しょうぶ》だったけど…私《わたし》は負《ま》けた赤青龍《あかしょうりゅう》のファンだったから悔《くや》しかったがね…
春藤健吾《はるふじけんご》さんはビーチバレーで…
いやー接戦続《せっせんつづ》きて楽《たの》しかったよ！まぁ、ポロリも期待《きたい》しちまったけどなァ！
そして、久間卓哉《きゅうまたくや》さんがサッカー…
まぁ、僕《ぼく》はビジターのビッグ大阪《おおさか》のファンだったから…勝《か》ってグラウンドで抱《だ》き合《あ》うビッグの選手達《せんしゅたち》に、肩身《かたみ》の狭《せま》い思《おも》いで拍手《はくしゅ》してたけどね…

特《とく》にこれといって変《へん》な所《とこ》は…
ビーチバレーの「ポロリ」なんちゃう？
スポーツ観《み》に行《い》って水着《みずぎ》がズレるの待《ま》ってるなんて、おかしいもん！
ハッキリ言《い》ってセクハラです！
た、ただの冗談《じょうだん》じゃねぇか!!
ああ…このオッサンがやらしいっちゅうだけの事《こと》で…
おかしな事《こと》は何《なん》も言《ゆ》うてへんで…
まぁ、相撲《すもう》のまわしと違《ちご》うて水着《みずぎ》が取《と》れても反則負《はんそくま》けにはならへんみたいやけどなァ…
ほんなら、相撲観《すもうみ》て来《き》たこの人《ひと》が犯人《はんにん》なん？
い、いや私《わたし》はまわしの話《はなし》なんて…
ビッグ大阪《おおさか》の比護《ひご》！このアウェーのプレッシャーの中《なか》、見事《みごと》なシュートを決《き》めました！
ア、アウェー…
待《ま》てよ…敵地《てきち》で試合《しあい》する時《とき》、サッカーならビジターじゃなくアウェーだよなぁ…
そうそう！ファンの事《こと》はサポーターで…
グラウンドの事《こと》はピッチって言《い》うよね？
──って事《こと》は…
そう…サッカーが好《す》きな人《ひと》ならみんな口《くち》にするこれらの言葉《ことば》を1つも使《つか》ってない…
5

この久間《きゅうま》さんが、「サッカーが大好《だいす》きで その試合《しあい》を観《み》に行《い》った」なんて嘘《うそ》を警察《けいさつ》の人《ひと》に つかなきゃ ならなかった…
犯人《はんにん》以外《いがい》に 考《かんが》えられへん 奴《やつ》やっちゅう こっちゃ!
ち、違《ちが》う! 最近《さいきん》なんだ! サッカーファンに なったのは! だから、まだ 慣《な》れてなくて…
試合《しあい》観《み》たんなら、決勝《けっしょう》ゴール決《き》めた 比護《ひご》の背番号《せばんごう》 何番《なんばん》か言《ゆ》うてみ?
あ、いや…
そら 知《し》らんわなァ… 携帯電話《けいたいでんわ》で 試合結果《しあいけっか》 調《しら》べたら 誰《だれ》が何分《なんぷん》に決《き》めたかは わかるやろうけど、そいつの背番号《せばんごう》までは 載《の》ってへんからのォ…
まぁ、比護選手《ひごせんしゅ》は もうビッグ大阪《おおさか》の 顔《かお》になってて サポーターの ほとんどが 比護選手《ひごせんしゅ》の ユニホーム 着《き》てるから…
試合《しあい》を 観《み》に行《い》ったら、知《し》りたく なくても 覚《おぼ》えちゃうと 思《おも》うけどね…
だから、サッカーの 試合《しあい》は 今日初《きょうはじ》めて 観《み》に行《い》って…
あんた 野球《やきゅう》ファン やろ?
え?
ビジターも ファンも グラウンド も…
みんな 野球《やきゅう》で使《つか》う 言葉《ことば》や…
あんた、ホンマは 野球観《やきゅうみ》に 行《い》ってたん ちゃうか?
何《なん》で 野球《やきゅう》や のん?

6

さっき言《ゆ》うてたやんか！国末《くにすえ》さんが友達《ともだち》に興奮《こうふん》して電話《でんわ》して来《き》たんやったら、相当《そうとう》おもろい試合《しあい》を観《み》て来《き》たはずやって…
そうそう、「最高《さいこう》だ！俺《おれ》にもツキが戻《もど》った！その証拠《しょうこ》をこれから見《み》せてやる」って言《い》ってたらしいし…
犯行《はんこう》が計画的《けいかくてき》じゃなく、今日《きょう》どこかで犯人《はんにん》が国末《くにすえ》さんと接触《せっしょく》して恨《うら》みを持《も》ったのなら…
興奮《こうふん》したというどこかの試合会場《しあいかいじょう》の可能性《かのうせい》が高《たか》い…
…となると、多分《たぶん》犯人《はんにん》もその試合《しあい》を観《み》に行《い》ってるはずなんだけど…
あの人《ひと》が観《み》られる野球《やきゅう》の試合《しあい》のスコアは1対《たい》5で…エラーしまくったチームがやっと最後《さいご》にホームランで1点《てん》返《かえ》したんですよね？
そんなん、最高《さいこう》の試合《しあい》とちゃうやん！
国末《くにすえ》さんはどっちのチームのファンでもなかったみたいだしね…
確《たし》かに…
どないなスポーツでも、ミスがよー出《で》た試合《しあい》は勝《か》っても負《ま》けてもええ気分《きぶん》やない…
その上《うえ》、1対《たい》5の大差《たいさ》や…
ひいき目《め》で見《み》ても最高《さいこう》の試合《しあい》なんて言《ゆ》えへんやろなァ…
せやけど、その試合《しあい》で自分《じぶん》だけに記念品《きねんひん》もらえたらどうや？
き、記念品《きねんひん》？
しかも、それがその試合《しあい》で使《つか》った道具《どうぐ》でその選手《せんしゅ》のすごいプレーの証《あかし》やったら、そらめっちゃうれしいやろ？
なんぼその選手《せんしゅ》のファンやのーてもなァ…
ホ…

ホームランボールや!!
ホームランボールやったら観客《かんきゃく》ももらえるわ!!
じゃあ、国末《くにすえ》さんはその試合《しあい》でホームランボールを…
そうや！それ取《と》って友人《ゆうじん》にここで自慢《じまん》したろ思《おも》てたら、球場《きゅうじょう》から尾《つ》けて来《き》た久間《きゅうま》さんに横取《よこど》りされてしもたっちゅうこっちゃ！
けど、何《なん》で国末《くにすえ》さんがホームランボール取《と》ったってわかったん？
ああ、そら…
国末《くにすえ》さんのポケットだよ！
ズボンの右後《みぎうし》ろのポケットに、財布《さいふ》や携帯電話《けいたいでんわ》やタバコがぎっしり詰《つ》まってパンパンだったのは…
犯人《はんにん》がわざわざ国末《くにすえ》さんの持《も》ち物《もの》をそこに詰《つ》めたから！
びろびろに広《ひろ》がったジーパンのポケットを怪《あや》しく見《み》せないためにね！
そっか！国末《くにすえ》さんはホームランボールをズボンのポケットに無理矢理《むりやり》押《お》し込《こ》んで入《い》れてたのね！
うん！
ボールを抜《ぬ》いてもそのポケットが広《ひろ》がったままだと、何《なに》かが入《はい》ってた事《こと》はわかるでしょ？
きっと、その広《ひろ》がり具合《ぐあい》で入《はい》ってたのは野球《やきゅう》のボールだって気《き》づかれるのが怖《こわ》かったんだよ！

8

でも、何《なん》で国末《くにすえ》さんは友達《ともだち》をここに呼《よ》んだんだろ?
せやね…ホームランボール取《と》ったんやったら、それ持《も》って帰《かえ》って見《み》せたらええやん!
国末《くにすえ》さん、友達《ともだち》の家《いえ》に泊《と》まってはったらしいし…
ほんなら、オレが野球《やきゅう》のボール持《も》って「これ、WBC《ダブリュービーシー》で日本《にっぽん》が優勝《ゆうしょう》した時《とき》のウイニングボールや」っちゅうたら信《しん》じるか?
そんなん嘘《うそ》やろ!
せやけど、それを証明《しょうめい》する映像《えいぞう》があったらどうや?
映像《えいぞう》?
そーいえば、ホームランって観客席《かんきゃくせき》に入《はい》った所《ところ》が映《うつ》るよね?
そうや…他《ほか》のスポーツやと、TV《テレビ》カメラで抜《ぬ》かれる観客《かんきゃく》は偶然《ぐうぜん》やろうけど…
ホームランボール取《と》ったら、間違《まちが》いなく映《うつ》る!
腕吊《うでつ》った男《おとこ》が派手《はで》に喜《よろこ》んどったらアップもありうるで!
せやから、国末《くにすえ》さんは友人《ゆうじん》をここに呼《よ》んだんや…
それでは「トゥデイズホームラーン」♪
カロン
友人《ゆうじん》も含《ふく》めたこの店《みせ》の客連中《きゃくれんちゅう》に…
取《と》ったホームランボールと…
スポーツニュースのこの映像《えいぞう》を観《み》せて…

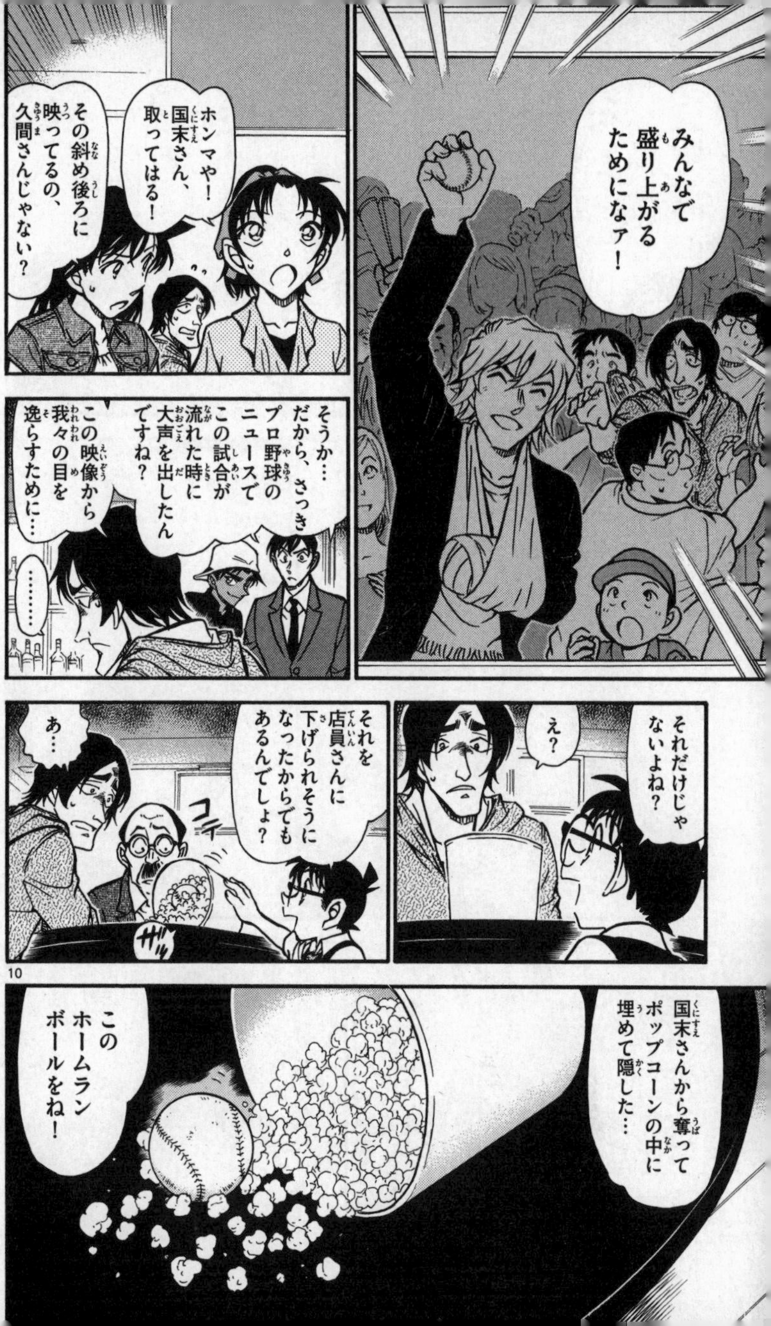
みんなで盛《も》り上《あ》がるためになァ！
ホンマや！国末《くにすえ》さん、取《と》ってはる！
その斜《なな》め後《うし》ろに映《うつ》ってるの、久間《きゅうま》さんじゃない？
そうか…だから、さっきプロ野球《やきゅう》のニュースでこの試合《しあい》が流《なが》れた時《とき》に大声《おおごえ》を出《だ》したんですね？
この映像《えいぞう》から我々《われわれ》の目《め》を逸《そ》らすために…
………
それだけじゃないよね？
え？
それを店員《てんいん》さんに下《さ》げられそうになったからでもあるんでしょ？
コテ
あ…
国末《くにすえ》さんから奪《うば》ってポップコーンの中《なか》に埋《う》めて隠《かく》した…
このホームランボールをね！

けど、何《なん》で横取《よこど》りしたんや？
それ打《う》った選手《せんしゅ》のファンやったんか？
…ああ 超《ちょう》がつくほど入《い》れ込《こ》んでたよ…
昨夜《ゆうべ》病死《びょうし》した…
僕《ぼく》の彼女《かのじょ》がね…
え？
彼女《かのじょ》の口癖《くちぐせ》はその選手《せんしゅ》のホームランボールをゲットする事《こと》…息《いき》を引《ひ》き取《と》る直前《ちょくぜん》まで呟《つぶや》いてたっけかな…
だから、せめて僕《ぼく》が取《と》って火葬《かそう》される前《まえ》に彼女《かのじょ》の棺《ひつぎ》に入《い》れてあげようと…
球場《きゅうじょう》へ行《い》って外野席《がいやせき》でグローブを構《かま》えてたら…マジで飛《と》んで来《き》てキャッチできたんだよ！
キャッチって…取《と》ったの国末《くにすえ》さんやん！
だ、だからその直後《ちょくご》に観客達《かんきゃくたち》に押《お》し潰《つぶ》されて…
気《き》づいたらグローブの中《なか》にボールがなくて…腕《うで》を吊《つ》った彼《かれ》の足元《あしもと》に転《ころ》がっていて結局《けっきょく》 彼《かれ》の手《て》に…
でも、それ仕方《しかた》ないと思《おも》いますけど…
そんなんで国末《くにすえ》さんに恨《うら》み持《も》って殴《なぐ》って横取《よこど》りしたん？
あ、いやちゃんと事情《じじょう》を話《はな》して譲《ゆず》ってくれって頼《たの》んだんだ…何度《なんど》も何度《なんど》も…
でも、彼《かれ》は…
何《なん》やねん？またあんたか？
しつこいてェ…

彼女《かのじょ》に贈《おく》りたいか何《なん》か知《し》らんけどなァ！
誰《だれ》がお前《まえ》なんぞに譲《ゆず》るか、ボケェ!!
ビクッ
その言葉《ことば》にカーッとなって、もう力《ちから》ずくで奪《うば》うしかないと思《おも》って…
ほんで、トイレの用具《ようぐ》入《い》れのモップで殴《なぐ》り倒《たお》したんやな？
は、はい…
すみませんでした!!
その言葉《ことば》、本人《ほんにん》に言《い》ってあげてください…
たった今《いま》、病院《びょういん》から連絡《れんらく》がありました…
国末《くにすえ》さんの意識《いしき》が戻《もど》ったってね！
ホンマ！
よかったー！
へぇー…
病死《びょうし》した彼女《かのじょ》のためにか…
杯戸中央病院

そんで、あの人《ひと》あない一生懸命《いっしょうけんめい》ボール譲《ゆず》ってくれって言《ゆ》うてたんやな…
え？知《し》らなかったんですか？
ちゃんと事情説明《じじょうせつめい》した言《ゆ》うてたけど…
彼女《かのじょ》に贈《おく》るっちゅう言葉《ことば》にイラっときてのォ…
病死《びょうし》したトコは聞《き》き飛《と》ばしとったわ…
え？何《なん》でなん？
フラれたばっかりやったからや！
大好《だいす》きやった女《おんな》の子《こ》になァ！
ふーん…
ほんでな…間違《まちが》えて渡《わた》してしもたお守《まも》りの事《こと》なんやけど…
ああ、それなら鑑識《かんしき》さんから返《かえ》してもらって服部君《はっとりくん》に渡《わた》したよ…
え〜!?
いつゥ!?
どこでェ!?
さ、さっきのこの病院《びょういん》の廊下《ろうか》で…

アホー!!
ガチャ
ねぇ…ひょっとしてさー…
国末《くにすえ》さんがフラれた女《おんな》の子《こ》って…

和葉姉《かずはねえ》ちゃんじゃない？
え？
そんなまさかぁ…
だって、テニスの大会《たいかい》に勝《か》つためにわざわざ大阪《おおさか》に帰《かえ》って和葉姉《かずはねえ》ちゃんにお守《まも》り作《つく》ってもらったのに…
東京《こっち》に戻《もど》ってきたら、練習中《れんしゅうちゅう》に怪我《けが》するほど急《きゅう》にやる気《き》を無《な》くしちゃったって事《こと》は…
見《み》ちゃったんでしょ？
お守《まも》りの中身《なかみ》…
ああ…あの色黒《いろぐろ》のボウズの写真《しゃしん》をな…
新品《サラ》のお守《まも》りにしては、えらい布地《ぬのじ》が擦《す》り切《き》れてるなァて思《おも》て開《あ》けてみたんやけど…
あのボウズ、和葉《かずは》ちゃんの鞄《かばん》の取《と》っ手《て》に付《つ》いとったって言《ゆ》うてたし…
こら、和葉《かずは》ちゃんのお守《まも》りや思《おも》たら泣《な》けてきてのォ…
テニスの大会《たいかい》に優勝《ゆうしょう》したら告《こく》ったろ思《おも》てたさかい…
へーっへーっ！
あのホームランボール取《と》って流《なが》れが変《か》わった気《き》ィしたんやけど…
気《き》のせいやったみたいやな…
あのボール、今《いま》どこにあります？
一応《いちおう》、鑑識《かんしき》で預《あず》かってるけど…

ほんなら、後《あと》でオレを殴《なぐ》った人《ひと》に渡《わた》してもらえますか？
意地悪《いじわる》してスマンかったって…
ああ…
そや！和葉《かずは》ちゃんにも言《ゆ》うといてくれ…
な…
な…何《なん》て言《い》うんですか？
意地悪《いじわる》して…
スマンなァっての！
へ？
あーっ！平次《へいじ》!!
意地悪《いじわる》…？
ちょー何《なに》してんのん!?
やばっ!!
お守《まも》り開《あ》いてるやん!!

和葉《かずは》…
ドキ
お前《まえ》が必死《ひっし》こいてお守《まも》り探《さが》しとったわけが…
やっとわかったわ…
お前《まえ》がオレの事《こと》を…
ドキ
ドキ
ドキ
こないバカにしくさってるっちゅう事《こと》がなァ!!
アホ ボケ
ええ〜!? 何《なん》なんこれ〜!?
まあ、オレは大人《おとな》やから…
こないな事《こと》でいちいち怒《おこ》らへんけどなァ!!
?
?
なるほど…
悔《くや》しくてイタズラ描《が》きしたのね…

FILE《ファイル》.11
ゴスロリ

ゴメンね
唯佳《ゆいか》…
門脇君《かどわきくん》の事《こと》…
私《わたし》がもう少《すこ》ししっかりしていれば…
あなた達《たち》、あんな事《こと》にならなかったのに…
もういいよ、未紘《みひろ》…友達《ともだち》に手《て》を出《だ》す男《おとこ》の話《はなし》なんて…
今《いま》はあんな男《おとこ》と別《わか》れられてよかったと思《おも》ってるわ…
それより買《か》った？
明日《あした》着《き》て行《い》く服《ふく》！
うん、買《か》ったよ！
キュートなゴス服《ふく》！

丁度《ちょうど》今《いま》…
着《き》てるんだよ！
明日《あした》、楽《たの》しみにしててね！
ええ…
じゃあ、待《ま》ち合《あ》わせはいつもの所《とこ》で…
唯佳《ゆいか》…
私達《わたしたち》…親友《しんゆう》だよね？
何《なに》バカな事《こと》言《い》ってるの！
死《し》ぬまで親友《しんゆう》よ！
ピッ
ゴオオオ
死《し》ぬまではね…

――ったくよォ…
何《なに》が悲《かな》しくて…
この名探偵《めいたんてい》毛利小五郎《もうりこごろう》が…
キャイ キャイ
小娘共《こむすめども》のお買《か》い物《もの》に付《つ》き合《あ》わにゃならんのだよ…
いーじゃない、たまには！
若《わか》い娘《こ》が街《まち》にあふれてていい目《め》の保養《ほよう》になるわよ！
それにさ…
どーせ依頼《いらい》がなくて暇《ひま》だったしね…
バカヤロォ！DVD《ディーブイディー》レコーダーで録《と》り貯《た》めたドラマの整理《せいり》もあるし…
新装開店《しんそうかいてん》のパチンコ屋《や》の玉《たま》の出具合《でぐあい》もチェックしなきゃいけねーし…今日《きょう》は競馬《けいば》のGI《ジーワン》レースも…

それ、暇《ひま》っていうのよ…
何《なに》?
パチンコや競馬《けいば》で無駄《むだ》遣《づか》いしないでよね!
お前《まえ》こそ、バカ高《たけ》ぇ服《ふく》買《か》いやがったら承知《しょうち》しねーぞ!
大丈夫《だいじょうぶ》!安《やす》くてカワイイ服《ふく》しか買《か》いませんよーだ!
ねー!
何《なん》でもいいが、買《か》う前《まえ》にちゃんと俺《おれ》に見《み》せるんだぞ!
え?
あ、いやそれはちょっと…
何《なん》だ何《なん》だ!?親《おや》に見《み》せられねぇイヤラシイ服《ふく》買《か》おうってんじゃねーだろーな?
フトモモ丸見《まるみ》えのチャイナドレスとか…
そりゃーあんたの趣味《しゅみ》だよ…
見《み》なくても平気《へいき》よ!
セクシー系《けい》じゃないし…
まぁ、見《み》たらどん引《び》きするだろーしね…
カラー

いらっしゃいませー!
何《なん》なんだ?あの魔女《まじょ》みてーな不気味《ぶきみ》なカッコは…
超《ちょう》カワイー♥
お?
ゴスロリよ、ゴスロリ!
やっぱいいよねー!
ゴス…ロリ?

ゴシックロリータっていって、吸血鬼《きゅうけつき》ドラキュラとかのゴシック小説《しょうせつ》や、それを元《もと》にした怪奇映画《かいきえいが》に出《で》て来《き》そうな黒《くろ》っぽい服《ふく》で…
女《おんな》の子《こ》っぽくもあるファッションの事《こと》をそういうって、TV《テレビ》でやってたよ！
ホー…
まあ、灰原《はいばら》が似合《にあ》いそうなファッションだわな…
まさか、お前《まえ》らもあの化《ば》け物《もの》じみた服《ふく》を買《か》う気《き》なんじゃ…
もっとかわいらしい服《ふく》よ！
お人形《にんぎょう》さんが着《き》てるみたいな…
――って事《こと》はロリータかよ…
何《なん》だか知《し》らねーが、あんな仮装行列《かそうぎょうれつ》みてーな格好《かっこう》絶対《ぜったい》させねぇからな!!
え？
カラン
お待《ま》たせしました！
あ、あの－…

7

まさか今《いま》の客《きゃく》…
俺《おれ》が服《ふく》をくさしたから、怒《おこ》って出《で》て行《い》ったんじゃ…
あ、いえ…
待《ま》ち合《あ》わせの友達《ともだち》がまだいらっしゃらないようで…
トイレに行《い》かれたみたいです…
トイレは店《みせ》の外《そと》ですので…
あ、そう…
んじゃあまぁ…
飲《の》む物《もの》飲《の》んだし！
街《まち》に繰《く》り出《だ》すとすっか！
お店《みせ》もバッチリチェックしたしね！
さっきのゴスロリのお姉《ねえ》さん、戻《もど》って来《こ》ないね…
あん？
待《ま》ち合《あ》わせしてるんなら席《せき》に居《い》た方《ほう》がいいのに…
女《おんな》のトイレは長《なげ》ぇからなぁ…
カラン

いらっしゃいませー！
ゴスロリの子、来《こ》なかった？
友達《ともだち》なんだけど…
ああ、いらしてますよ！
今《いま》はトイレに行《い》かれてますけど…
あらら、10分遅《ぶんおく》れか…
未紘《みひろ》は何《なに》を頼《たの》んだの？
あ、いえ…
メニューは見《み》てらっしゃいましたけど…
お友達《ともだち》が来《き》てから注文《ちゅうもん》すると言《い》って…
じゃあ私《わたし》も…
未紘《みひろ》が戻《もど》って来《き》てからで…
ガッ
わっ
ちょっ…
ビシャ
コロ

ご、ごめんなさい！
あ、大丈夫《だいじょうぶ》です！こちらで片付《かたづ》けますので…
………
おら、行《い》くぞボウズ！
う…
うん…
おい！
おい！
おい！！
何《なん》なんだ!?
どいつもこいつもいかれた格好《かっこう》しやがって…
さすが原宿《はらじゅく》…

まさか、お前《まえ》らもこんな連中《れんちゅう》みたいな…
――っていねえじゃねーか!!
あ、蘭姉《らんねえ》ちゃん達《たち》なら買《か》い物《もの》してくるからこの辺《へん》でブラブラしててって言《い》ってたよ！
――ったく何考《なにかんが》えてんだ？俺《おれ》が来《く》る意味《いみ》ねーじゃねーか！
いや、多分《たぶん》その意味《いみ》は…
やっぱ荷物持《にもつも》ちだったか…
次《つぎ》はこの店《みせ》！
これカワイイよねー！
何《なに》がカワイイんだか…
ちょっと見《み》ないでよ～！
んじゃ、てめエで持《も》ってろ！
ベチョ

え？
ちょ…
ちょっとヤダ！
これ、アイスクリームじゃない！
何語《なにご》？
早口《はやくち》でよくわかんない…
ペラ
ペラ
そ〜〜っ
この人達《ひとたち》、アイスクリーム強盗《ごうとう》だよ！
ご…強盗《ごうとう》？
海外《かいがい》で日本人観光客《にっぽんじんかんこうきゃく》によく使《つか》われる手《て》さ！
アイスクリームを服《ふく》につけられたら、そこを拭《ふ》こうとして荷物《にもつ》から手《て》を離《はな》しちゃうでしょ？
そして、早口《はやくち》の外国語《がいこくご》でまくしたてて気《き》を引《ひ》いてる隙《すき》に、もう1人《り》の仲間《なかま》が観光客《かんこうきゃく》の荷物《にもつ》を持《も》ってトンズラする…

——ってTV《テレビ》のニュースでやってたよ…
へー…
あ、コラ！待《ま》ちやがれ!!
ダッ
でも、困《こま》ったね…
服《ふく》がこんなんじゃ買《か》い物《もの》できないよ…
んじゃ、買《か》った服《ふく》に着替《きが》えりゃいいじゃねーか！
え？
せっかく買《か》ったんだしよ！
いーい？2人共《りとも》！
々木公園
ぜーったい笑《わら》っちゃダメだからね!!
ああ…
まぁ、引《ひ》くだろうけど…
あら…
先客《せんきゃく》がいっぱい…
目的《もくてき》は同《おな》じみたいね…
ガヤ
ガヤ

ちょっとアンタ！いい加減《かげん》にしなさいよ!!
え？
ど、どうしたんですか？
この人《ひと》、もう30分《ぷん》以上《いじょう》もこもりっぱなしなのよ！
も…もしかしたら、心臓発作《しんぞうほっさ》とかで中《なか》で倒《たお》れてるんじゃ…
ええっ!?
そーいう場合《ばあい》は…
ガッ
そ、園子《そのこ》!?
直接《ちょくせつ》上《うえ》から…

15

首《くび》に
索条痕《さくじょうこん》と…
被害者《ひがいしゃ》が首《くび》を
かきむしって抵抗《ていこう》した
「吉川線《よしかわせん》」…
絞殺《こうさつ》か…

—名探偵コナン66・完—

名探偵コナン66

少年サンデーコミックス

2009年11月23日 初版第1刷発行　　（検印廃止）

著　者　　青　山　剛　昌

発行者　　都　築　伸　一　郎

印刷所　　図書印刷株式会社

PRINTED IN JAPAN

「週刊少年サンデー」2009年第17号～第20号、第23号～第29号掲載作品

連載担当／近藤秀峰

単行本編集責任／赤岡 進

単行本編集／近藤秀峰／中田英穂（アイプロダクション）

発行所　（〒101-8001）東京都千代田区一ツ橋二の三の一　株式会社 小学館

TEL　販売03（5281）3556 編集03（3230）5853

ISBN978-4-09-122048-6

ボクが
守り抜いてみせる！
ついに夏の甲子園大会、
決勝の舞台に立ったあお高ナイン！
対するは怪物投手《ピッチャー》・神木《かみき》率いる静浜《せいひん》高校。
①〜㉒巻 絶賛発売中!!
少年サンデーコミックス
発行／小学館

田中モトユキ
ラインナップ!!
SSC
リベロ革命《レボリューション》!! 全⑬巻
小学館文庫
リベロ革命《レボリューション》!! 全⑦巻
初回、完璧な立ち上がりを見せる
神木に対して
キタローの代わりにマウンドを
託された右京《うきょう》は制球に苦しみ…
そんな中、
なぜか静浜の主将《キャプテン》・仲《なか》島《しま》が
右京に助言《アドバイス》を!?
最強!都立
あおい坂高校
野球部
3
田中モトユキ
Motoyuki Tanaka

「月打《ムーンストラック》」の
治療薬《クスリ》?
I'M LOOKING FOR A MIRACLE
麺

「月打」によって人間界に害を及ぼしはじめた
『フランダースの犬』のパトラッシュ。
その飼い主であるネロを保護した月光たちだったが、
なんとそこへ、『うらしま太郎』の主人公・太郎が現れ、
「月打」の影響で世界中を海にするべく動き出した
乙姫《おとひめ》たちを止めるよう、月光たちに救いを求めてきた!!
突然の大混乱に困惑する月光たち。
だがなんと『うらしま太郎』の玉手箱には、
「月打」に関わる重大な秘密が隠されているらしく…!?
少年サンデーコミックス
Scomics
発行／小学館
月光条例
Moonlight Act
藤田和日郎
1〜7巻 大好評発売中!
藤田和日郎先生の本
少年サンデーコミックス
『からくりサーカス』全43巻
小学館文庫
『うしおととら』全19巻
『藤田和日郎短編集　夜の歌』
『藤田和日郎短編集　暁の歌』
藤田和日郎画業20周年記念集
『藤田和日郎魂』

修道女《シスター》。
アーメン！
The slaughter Doberman
俺《おれ》は悪魔《あくま》だけど弁護士《べんごし》でもあるんだ。
良《よ》かったら聞《き》かせてくれないか？
少年サンデーコミックス
Scomics
発行／小学館
DEFENSE DEVIL
ディフェンス・デビル
[原作]尹仁完《ユンインナン》 [作画]梁慶一《ヤンギョンイル》
1～2巻 大好評発売中！

人《ひと》を護《まも》る悪《あく》魔《ま》。
悪《あく》魔《ま》を狩《か》る。
悪魔でありながら、無実の罪で地獄に連行される人間を救う
異色の弁護士メフィスト・バルト・クカバラ。
そんな彼の前に、高額の報酬で悪魔祓《ばら》いを請け負う
美しき女エクソシスト・イダマリアが現れた!
俺たち悪魔が過ちを犯したのなら、
それを正す義務も俺にはある。
悪魔狩りに異常な執着心を見せ、
クカバラに猛然と攻撃を仕掛けてきたイダマリア。
だがなんと、クカバラに彼女を差し向けたのは人間ではなく……?
サンデーGXコミックス
『新暗行御史《しんあんぎょうおんし》』全17巻
大好評発売中!

マギ
大《おお》高《たか》忍《しのぶ》
砂漠《さばく》とオアシス
隊商《キャラバン》を狙《ねら》う盗賊《とうぞく》たち…
未知《みち》なる世界《せかい》に隠《かく》された謎《なぞ》と秘宝《ひほう》。
旅《たび》の少年《しょうねん》・アラジンが紡《つむ》ぎ出《だ》す
魔導冒険譚《マジカルアドベンチャー》、ここに開幕《かいまく》!!
1.2巻同時発売

MAJOR《メジャー》 74巻 ——— 満田拓也《みつだたくや》
史上最強《しじょうさいきょう》の弟子《でし》ケンイチ 36巻 松江名《まつえな》 俊《しゅん》
結界師《けっかいし》 27巻 ——— 田辺《たなべ》イエロウ
絶対可憐《ぜったいかれん》チルドレン 19巻 ― 椎名高志《しいなたかし》
最上《さいじょう》の命医《めいい》 8巻 ———
取材・原作／入江謙三《いりえけんぞう》 橋口《はしぐち》たかし

お坊《ぼう》サンバ!! 8巻［完結］—— 飯島浩介《いいじまこうすけ》
MIXIM《ミクシム》☆11《イレブン》 6巻 ——— 安西信行《あんざいのぶゆき》
アラタ カンガタリ～革神語～ 5巻 渡瀬悠宇《わたせゆう》
KING《キング》 GOLF《ゴルフ》 5巻 ——— 佐々木健《ささきけん》
DEFENSE《ディフェンス》 DEVIL《デビル》 3巻 ———
原作／尹仁完《ユンイナン》 作画／梁慶一《ヤンギョンイル》

SHONEN◆SUNDAY◆COMICS

タッコク!!! ★1巻好評発売中!! 福地 翼
阿鬼羅 ★1巻好評発売中!! 大塚志郎
魔法行商人ロマ ★1巻好評発売中!! 倉薗紀彦
超弩級少女4946 ★1巻好評発売中!! 東 毅
UNDEAD ★1巻好評発売中!! 寺嶋将司
幻影少年 ★1巻好評発売中!! 万乗大智
まにまに ★1巻好評発売中!! 松浦聡彦
サムライハイスクール ★1巻好評発売中!! 柏葉ヒロ
PING PONG RUSH ★1巻好評発売中!! 小山愛子
夏草ホームベース ★1巻好評発売中!! 平手将之
銀塩少年 ★1巻好評発売中!! 後藤隼平
ポップコーンアバター ★1巻好評発売中!! 星野倖一郎
紅の騎士ロックウェル ★1巻好評発売中!! 灘谷 航
M・S DOLLS ★1巻好評発売中!! 菅原健二
サムライナンバー11 ★1巻好評発売中!! 野田 宏
ジオと黄金と禁じられた魔法 ★1巻好評発売中!! 桐幡 歩

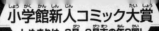

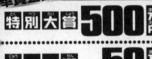